Do

Bhreandán Mac Cnáimhsí
agus do
Mhícheál Ó Cuinneagáin
a d'adhain an lóchrann i 1985
nach bhfuil múchta fós

AN CLÁR

Noda *vi-vii*

1. An Ghaeilge agus an tAistritheoir *1*
2. Gairm an Aistriúcháin *30*
3. Modhanna Aistriúcháin *47*
4. Aistriúchán Teicniúil agus Téarmaíocht *64*
5. Téacsanna Dlí a Aistriú *91*
6. Fógráin *111*
7. Earráidí Gramadaí agus Aistriúcháin *127*
8. Samplaí *143*

9 Foclóirí agus Foinsí Eile Eolais *160*

Noda

BT: ***Buntús Téarmaíochta***, Fiachra Ó Dufaigh, BÁC, 1990 (feic an léirmheas in *Teangeolas*, 28, 1990, 26-27).

CO: *Gramadach na Gaeilge agus Litriú na Gaeilge - An Caighdeán **O**ifigiúil*, BÁC, 1962.

DIL: *(Contributions to a) **D**ictionary of the **I**rish **L**anguage*, BÁC, 1913-1976.

EID: ***E**nglish-**I**rish **D**ictionary*, de Bhaldraithe, 1959

FBg: *An **F**oclóir **B**eag*, BÁC,1991 (feic léirmheas air le Diarmaid Ó Sé, *Teangeolas*, 30-31, 1992, 38).

FF: ***F**oclóir **F**ealsaimh*, BÁC, 1958 agus 1993.

FGB: ***F**oclóir **G**aeilge-**B**éarla*, Ó Dónaill, BÁC, 1977.

FP: ***F**oclóir **P**óca*, BÁC, 1986.

FSc: ***F**oclóir **Sc**oile*, eag. leasaithe de FP, BÁC, 1994

GG: ***G**raiméar **G**aeilge na mBráithre Críostaí*, BÁC,1960.

GTT: ***G**luais de **T**héarmaí **T**eileachumarsáide*, Telecom Éireann, BÁC, 1991.

IMN: ***I**risleabhar **M**há **N**uad*

TC: ***T**éarmaí **C**untasaíochta*, Liam Ó Dúlacháin, Cumann Éireannach na gCuntasóirí Poiblí Deimhnithe, BÁC, 1964.

TD: ***T**éarmaí **D**lí*, BÁC, 1959.

Foclóirí a d'fhoilsigh An Coiste Téarmaíochta (CT):

APA: *Ainmneacha Plandaí agus Ainmhithe*, 1978
EBh: *Eacnamaíocht Bhaile*, 1982
FB: *Foclóir Bitheolaíochta*, 1978
FC: *Foclóir Ceoil*, 1985
FCT: *Foclóir Ceirdeanna agus Teicneolaíochta*, 1992
FEol: *Foclóir Eolaíochta*, 1994
FR: *Foclóir Réalteolaíochta*, 1996
FS: *Fiseolaíocht agus Sláinteachas*, 1981
FSG: *Foclóir Staidéir Ghnó*, 1989
FT: *Foclóir Talmhaíochta*, 1987
TL: *Téarmaí Leabharlainne*, 1993
TP: *Tíreolaíocht agus Pleanáil*, 1981
TR: *Téarmaí Ríomhaireachta*, 1990
TTR: *Téarmaí Teilifíse agus Raidió*, 1996

Brollach

Is ar iarratas ó Chaoilfhionn Nic Pháidín agus Sheán Ó Cearnaigh a chuaigh mé i mbun an tsaothair seo. Is iarracht é aghaidh a thabhairt ar chuid de na fadhbanna atá le sárú ag an aistritheoir go Gaeilge. Níl aon ghanntanas deacrachtaí ann. Tá drochmheas ar an aistriúchán ann féin agus tá droch-chaoi ar an teanga. Caithfidh an t-aistritheoir é féin réiteach a fháil ar chuid mhór de na fadhbanna sin sa tsúil go rachaidh an réiteach sin ar sochar dá chomhaistritheoirí mar níl aon treoir údarásach ar fáil dó.

Níl aon chodarsna idir aistriúchán maith agus dea-chaint, mar níl sa dea-chaint ach gliogarnach mura bhfuil sí sothuigthe. Caithfidh an t-aistritheoir tús áite agus an focal deiridh a thabhairt don chiall. Is drochaistriúchán é an t-aistriúchán nach bhfuil ciallmhar, sothuigthe, soléite, go háirithe mura bhfuil rithim na Gaeilge air. Má tá coimhlint idir an ghramadach agus an chiall, caithfidh an forlámhas a bheith ag an gciall i gcónaí. Ar bhonn na céille a tógadh teangacha agus a cumadh rialacha na gramadaí agus ní a mhalairt. An teanga nach bhfuil ciallmhar sothuigthe, níl ach an bás i ndán di. Mar sin féin, caithfidh an t-aistritheoir sáreolas a chur ar an teanga thraidisiúnta agus ar an teanga theicniúil nua araon, ach caithfidh sé an teanga nua a úsáid ionas go dtuigtear í.

Má chuireann an saothar seo ar a shúile don aistritheoir gur gá dianmhachnamh a dhéanamh sula gcinneann sé aon fhocal nó abairt a bhreacadh ar phár beidh rath éigin air. Óir má tá ganntanas foclóirí agus áiseanna eile ann fós don aistritheoir go Gaeilge, is é an ganntanas réamhchúraim a fheictear rómhinic in úsáid na Gaeilge an gad is giorra don scornach. Ba thábhachtaí riamh an Ghaeilge a bheith á húsáid ná mianach na Gaeilge a bhí á húsáid. Ní furasta deannach na siléige a ghlanadh thar oíche ach is é is cúram don aistritheoir teanga chomh binn comair sobhlasta a scríobh gur fearrde, saibhrede an teanga a shaothar.

Tá mé an-bhuíoch de Chaoilfhionn agus de Sheán a spreag mé chun an saothar seo a chur i gcrích. Ní orthu atá an milleán le cur má tá sé dothuigthe, doiléir, éalangach, leadránach ó am go chéile. Tá mé buíoch freisin den bheirt a bhfuil an saothar á thoirbhirt dóibh, óir is iad a léirigh dom a chéaduair nach dtagann an dea-aistriúchán agus an dea-Ghaeilge salach ar a chéile. Tá mé faoi chomaoin mhór freisin ag an gCoiste Téarmaíochta agus ag Rannóg an Aistriúcháin i gcoitinne as acmhainní na Gaeilge a fhairsingiú thar na blianta, gach dream ar a bhealach féin, agus ábhar machnaimh a sholáthar dom. Is le hardómós dá bhfuil déanta acu atá gach tagairt dóibh sa saothar seo. Agus ar deireadh tá mé an-bhuíoch díobh seo: Marie, Tiarnán, Ailleann agus Rónán, a fhoighníonn an oiread sin liom agus a thugann gríosú agus tacaíocht gan cháim dom i gcónaí. Go gcúití Dia a saothar agus a bhfoighne leo uile.

Maolmhaodhóg Ó Ruairc
Wezembeek-Oppem
10 Lúnasa 1997

Caibidil 1
An Ghaeilge agus an tAistritheoir

Tá forás na Gaeilge ag brath go mór ar an aistritheoir. Is amhlaidh a bhí le fada an lá. Cuid de na samplaí is fearr de shaibhreas na Gaeilge, tá siad le fáil in aistriúcháin. Rinneadh cáipéisí leighis amhail *Rosa Anglica* a aistriú ón mBéarla agus saothair chráifeacha mar *Smaointe Beatha Chríost* a aistriú ón Laidin; agus rinneadh aistriúcháin freisin ón Spáinnis, *Desiderius* agus ón bhFraincis, *Parrthas an Anama* agus *Stair an Bhíobla.*

Bhíothas ag súil an traidisiún sin a chaomhnú gan amhras nuair a cuireadh tús sna fichidí leis an scéim aistriúcháin ag An nGúm. Níorbh fhada gur caitheadh drochmheas ar an scéim, áfach, agus ní dhearnadh í a chothú agus a chíoradh mar ba cheart chun earraíocht iomlán a bhaint aisti. Is cinnte nár tugadh aon aitheantas do mhana George Steiner go bhfuil 'gach saothar ina aistriúchán'. Ba é ba chuspóir don scéim sin saothair idirnáisiúnta litríochta a aistriú go Gaeilge chun lón léitheoireachta a chur ar fáil don phobal agus chun na scríbhneoirí is fearr Gaeilge a chur ag obair agus luach saothair cinnte éigin a fháil as a bheith ag scríobh i nGaeilge. Ceapadh go ndéanfadh an scéim acmhainní na Gaeilge a fhairsingiú fad a bhí faghairt á cur ar bhuanna nádúrtha scríbhneoireachta na n-údar a bhí páirteach sa scéim.

Ní mar sin a tharla. Níor tháinig aon chaighdeán teanga as an scéim. In ionad na saothair a chothú agus a chíoradh ní dhearnadh ach iad a cháineadh. Níorbh fhiú iontu féin iad na saothair a bhí á n-aistriú. Níorbh fhiú a dhath ar bith an t-aistriúchán nuair a bhí saothar maith idir lámha. B'fhearr i bhfad an saothar bunaidh a léamh. Bhí beaguchtach á chur ar na fíorscríbhneoirí. Bhí siad chomh traochta sin tar éis a raibh d'aistriúcháin ar siúl acu nach raibh fonn orthu ná fuinneamh iontu tabhairt faoi mhórshaothar cruthaitheach dá gcuid féin.

Drochiomrá a bhí ar cheird an aistriúcháin sa Ghaeilge. Sin an fáth nár tugadh aird riamh ar an sárobair aistriúcháin agus teanga atá ar siúl i Rannóg an Aistriúcháin le cúig bliana is seachtó. Peadar Ó Laoghaire a chuir a mhéar ar an bhfadhb (feic Cronin, 1996, 149) nuair a dúirt sé:

> Do not torture us with your translations; they are by far the most deadly element in the disease which is killing our language. They effectively disgust and repel the most courageous of native Irish speakers.

Tiocfaimid ar na fadhbanna uile atá le sárú ag an aistritheoir go Gaeilge de réir a chéile. Ach is doiligh a shéanadh go bhfuil fadhb le sárú nach gá a bheith ann in aon chor, is é sin fadhb na claonbhreithe i gcoinne an aistriúcháin.

Ar na fadhbanna eile, tá na gnáthfhadhbanna aistriúcháin atá le sárú ag gach aistritheoir ar fud an domhain agus tá sainfhadhb eile nach mbaineann ach leis an nGaeilge. An fhadhb is mó atá le sárú ag an nGaeilgeoir - más fíor gur ón mBéarla a dhéantar idir 90-95% den aistriúchán - is ea nach bhfuil gá leis dáiríre. Rinneadh an tromaíocht sin ar an nGúm, gurbh fhearr a thuigfeadh an gnáthléitheoir an buntéacs. Is fada ó bhí cainteoir aonteangach sa tír seo. Ciallaíonn sé sin go bhfuil gach Gaeilgeoir ina Bhéarlóir ar an gcéad ásc, agus gur Béarlóir ó dhúchas a bhformhór.

Is fiú fós eiseamláir na n-aistritheoirí sin sna fichidí agus sna tríochaidí a scrúdú. Ní fios an féidir aon cheacht a tharraingt astu faoi theoiric an aistriúcháin nó an féidir aon chur chuige leanúnach a aimsiú iontu. Ach is féidir a rá gur 'Gaeilge' atá iontu, scoth na

Gaeilge go minic, teanga atá maorga, gléineach, soléite, is é sin le rá gur éirigh leo bunriail an aistriúcháin a chomhlíonadh: ní raibh sé le léamh orthu gur aistriúcháin iad in aon chor.

Is cinnte nach raibh gach duine den tuairim chéanna. Deir Máirtín Ó Cadhain (1972: 60-61):

> hAistríodh gearrscéalta áirithe faoi dhó, faoi thrí agus faoi cheathair, gan fios ag an aistritheoir ba dheireanaí go ndearna daoine roimhe féin an t-aistriú céanna, aistriú níb fhearr b'fhéidir ná eisean ... I gcomhfhios a dhéantaí é scaití.
>
> Ba dhual go n-aistreofaí scéal Daudet *La Dernière Classe* cheithre huaire ar a laghad agus i ngach canúint! Bhí siad an-tóiriúil ar Daudet... Níl mé cinnte go mbíodh a fhios ag Fiachra Éilgeach uaireanta go raibh aistriú déanta aige féin roimhe sin ar rudaí áirithe a d'aistrigh sé in athuair, is cosúil! Tá úrscéal le Ereckmann agus Chatrain a haistríodh don Ghúm faoin ainm, *An Coinscríobhach*, ach a raibh aistriú níb fhearr air, *Toghtán a 1813*, ó sheachtain go chéile ar feadh leathbhliana i 1914 i *Sinn Féin*.
>
> Chuir (an Gúm) daoine ag scríobh arbh fhearr, b'fhéidir, díomhaoin ná drochghnóthach iad! ... Den chéad uair le trí chéad bliain rinne focla Gaeilge dabaí óir. Idir 1922 agus 1927 scríobh duine áirithe, cuir i gcás, sé úrscéal a raibh 774 leathanach iontu, fad mór san am agus saothar sách creidiúnach má smaoinítear ar staid an úrscéil Ghaeilge an tráth sin... Tá sé taispeáinte ag Daithí Ó hUaithne gur aistrigh Seosamh Mac Grianna idir 1932 agus 1937, deich leabhar a raibh 2,200 leathanach i cheithre (sic) cinn acu!

Sin an dúshlán atá ar aistritheoirí an lae inniu, téacs Gaeilge a sholáthar nach féidir a chur ina leith go bhfuil sé doiléir, dothuigthe, mínádúrtha, nárbh fhiú é a léamh. Is féidir leis an scríbhneoir cruthaitheach a rogha téarmaí agus abairtí a úsáid. Tá cead aige téarmaí rótheicniúla a sheachaint. Níl de cheangal air ach an léitheoir agus is é féin amháin a chinneann an dtuigfeadh an léitheoir an focal seo nó an focal sin. Dá laghad tuiscint an léitheora ar fhoclóir na Gaeilge, is mó an cathú atá ar an scríbhneoir fanacht laistigh de raon cúng urlabhra.

Sin rogha nach bhfuil ag an aistritheoir. Caithfidh seisean an buntéacs a leanúint. Ní thig leis neamhshuim a dhéanamh den léitheoir ach oiread, ach is é údar an bhuntéacs an máistir. Toisc gur ón mBéarla atá an t-aistritheoir ag obair, gheobhaidh sé amach go minic nach bhfuil focal nó téarma aige a oireann don chomhthéacs sa Bhéarla. Ní i gcomhthéacs teicniúil amháin a tharlaíonn sé sin. Tá de nós againn a cheapadh go bhfuil an Ghaeilge an-saibhir i dtéarmaí 'daonna' agus gur sna réimsí nua-aoiseacha atá na heasnaimh le brath.

Ach ní mór cuimhneamh go bhfuil éagsúlacht agus ilchastacht teanga sa Bhéarla nach bhfuil a macasamhail ann in aon teanga eile ar domhan agus go bhfuiltear ag cur leis an bhfairsinge sin in aghaidh an lae. Is leor *The Irish Times* a bhreathnú lá ar bith chun liacht gnáthabairtí Béarla a aimsiú nach furasta a chur go Gaeilge nó téarma coibhéiseach sa Ghaeilge a fháil nach gcuirfeadh an léitheoir ar seachrán. Smaoinigh ar leithéidí 'brinkmanship' nó 'promotional', gan trácht ar na habairtí décheannacha sin 'ballot-rigging', 'stand-off', 'knock-on' sa rugbaí agus 'knock-on effect', 'take-away', 'haves and have-nots'. Tá rogha ag an aistritheoir.

Tig leis focal nua a chumadh, seanfhocal Gaeilge a aimsiú a chuirfidh an chiall chéanna i gcion. Ach tá fadhbanna ag gabháil lena leithéid mar a mhíníonn Breandán Ó Doibhlin in alt in *Irisleabhar Mhá Nuad* (1983: 47):

> Ceann amháin de na laincisí seo a chuireann as go mór don aistritheoir ... is ea é seo, gur minic a chaithfidh sé cur suas d'fhocal Gaeilge atá ina aistriúchán cruinn cumasach as siocair nach bhfuil sé beo i dteanga an lae inniu .. Ach ní foláir na híobairtí seo a dhéanamh ionas nach mbeidh cuma aduain agus stalcánta ar an stíl; cás eile a léiríonn chomh tearc agus atá an Ghaeilge fiú amháin ag daoine gur mór leo an teanga. 'Ní hí an teanga a chuaigh ó chion ...'

In ionad bealach na tiargála a leanúint, áfach, tá bealach eile a leantar rómhinic, is é sin cloí leis an mBéarla ach é a chur i gcló iodálach. Sin mar atáthar ag roinnt le 'agenda' le tamall cé gur deacair a rá nach ionann 'agenda' ina chiall nua-aoiseach (mar in 'hidden agenda') agus *clár oibre*. Feic san abairt 'the first modern leader who was a politician, not a diplomat, with a vision rather than an agenda', is léir gur *clár oibre* atá i gceist nach mór don taidhleoir a leanúint de shíor agus ní *aisling* ar dual don pholaiteoir ligean di é a ghiollacht.

Má loiceann an t-aistritheoir roimh a dhualgas i gcás mar sin tríd an bhfocal Béarla a úsáid, tá aimhleas na teanga á dhéanamh aige. Ní mór dul taobh thiar den Bhéarla. Má deirtear 'time-frame' nó 'time-scale', an gá *creat/fráma ama* nó *cóir/scála ama* a rá? Is cinnte nach gá óir is ionann iad araon agus *clár ama/tráthchlár*. Ní hé sin le rá nach bhfuil gnáthfhocail i ngach teanga nach bhfuil inaistrithe go teanga eile. Tá focail iasachta den saghas sin i ngach teanga. Tá *démarche* agus *schadenfreude* agus *apartheid* agus *sympathique* ann chomh fada sin sa chaidreamh idirnáisiúnta go dtugtar mar cheannfhocail iad sa ghnáthfhoclóir.

Deacracht eile atá ag an aistritheoir go Gaeilge, baineann sé lena eolas ar an teanga. De ghnáth bíonn an sprioctheanga (an teanga a bhfuil an téacs le haistriú chuici) ó dhúchas ag an aistritheoir - is ceann de bhunrialacha an aistriúcháin sna heagraíochtaí idirnáisiúnta é sin - agus mioneolas aige ar an mbunteanga (an teanga ina bhfuil an téacs scríofa).

I gcás na Gaeilge is é a mhalairt is fíor de ghnáth, óir is ó Bhéarla go Gaeilge a dhéantar an t-aistriúchán agus is fearr i bhfad an t-eolas atá ag an ngnáthaistritheoir ar an mBéarla ná ar an nGaeilge. Is fearr an t-eolas atá ag an aistritheoir ar an mbunteanga ná ar an sprioctheanga. Is aistritheoir as an ngnách é an t-aistritheoir go Gaeilge.

Is ábhar mór seachránachta go bhfuil an t-aistritheoir Gaeilge ag aistriú go teanga nach bhfuil ar a thoil i gcónaí aige, nó ar a laghad nach bhfuil aige ó dhúchas. Tá tagairt (Cronin, 1996: 149) dá raibh le rá ag Peadar Ó Laoghaire faoin scéal seo:

> It is an outrage upon common sense for any person to attempt to translate from one language to another unless he has a thorough knowledge of both ... a person can translate fairly well *from* a language he has learned into his native language, if he knows his native language well. No man can translate *into* a language which he knows imperfectly.

Is míle uair níos measa an riocht inniu. Chun go dtig leis an aistritheoir cumas áirithe éifeachta a bhaint amach ní mór dó smacht a fháil ar chleasa uile friotail na Gaeilge, é féin a thumadh gan staonadh i saibhreas scríofa agus labhartha na teanga. Sin an t-aon dóigh chun a fhéinmhuinín a dhaingniú chun go dtuigtear dó na ciútaí teanga ar fiú a fhoghlaim agus na guaiseacha teanga nach mór dó a sheachaint, chun go bhfuil a chuid eolais ar an nGaeilge chomh foirfe agus is féidir. Agus ansin féin, ní mór dó a bheith ar an airdeall gan teip.

Trí Bhiorghaoithe na Gaeilge

- An t-aistritheoir ag obair as a mháthairtheanga agus ní go dtí a mháthairtheanga.
- Tíorántacht an Bhéarla agus éidreoir na Gaeilge.
- Easpa tola i measc lucht scríofa na Gaeilge biseach a dhéanamh do théagar na teanga féin.

Sin an fáth a bhfuil forás thodhchaí na Gaeilge ag brath chomh mór sin ar an aistritheoir: is féidir leis an teanga a bhascadh nó a bhunú. Mura mbíonn san aistriúchán ach leagan Gaeilge de théacs Béarla, ina gcuirtear focail Ghaeilge in ionad na bhfocal Béarla, gan aon chuid de shainiúlacht na Gaeilge le feiceáil ann ná aon léargas ar an rud atá ciallmhar sa Ghaeilge, is cinnte gur díobháil agus ní maitheas a dhéantar.

Chun téacs a aistriú go Gaeilge, ní mór don aistritheoir a léiriú go bhfuil na trí 'i' aige: iomas, intleacht agus íogaireacht. Cuidíonn an t-iomas leis fíorchiall an téacs a lorg agus a aimsiú (is é sin go dtuigtear dó go bhfuil bunchiall i gceist) nó an droch-chiall a sheachaint, tugann an íogaireacht tuiscint dó ar shainairíonna na bunteanga agus na sprioctheanga agus cuireann an intleacht ar a chumas dó cuspóirí an údair a chur in oiriúint do riachtanais an léitheora. Is mairg don aistritheoir atá dá n-uireasa.

Tá cáilíocht eile de dhíth ar an aistritheoir go Gaeilge, mar atá ar gach aistritheoir, ach nach miste don Ghaeilgeoir cúram ar leith a dhéanamh de. Caithfidh sé a bheith in ann an teanga a scríobh go deaslámhach, soiléir, gonta, seiftiúil. Ba thruamhéalach an mhaise don Ghaeilge mura n-úsáidfeadh an t-aistritheoir an Ghaeilge ach chun téacsanna a aistriú go Gaeilge. B'fhiú smaoineamh ar chomhairle Mhic Éanna (Ó Rinn, 1939: 121):

> An uile dhuine gur mian leis Gaeilge a scríobh ba chóir dó - ach an Ghaeilge a bheith go maith aige ar gach

bealach ar dtúis - gach sórt aistriúcháin a chleachtadh dhó féin go príobháideach, gan aon chuimhneamh aige ar thoradh na hoibre sin d'fhoilsiú.

Mar a fheicfimid i gCaibidil 4, maidir leis an aistriúchán teicniúil, is gnáthchaint atá le haistriú sna téacsanna is teicniúla freisin. Ní mór dó dul i mbun na scríbhneoireachta go rialta. Sin an t-aon dóigh le tuiscint a fháil ar cad é is dea-Ghaeilge ann. Ar an drochuair beidh sé ar a chonlán féin. Caithfidh sé é féin a shásamh ar an gcéad dul síos go bhfuil an t-aistriúchán inléite. Níor oibríodh amach riamh an bhfuil difear idir droch-Ghaeilge agus dea-Ghaeilge, agus má tá cad é an difear féin é. Ní thugtar aird de ghnáth ach ar an nGaeilge atá dílis don ghramadach nó don chaighdeán.

Ach níl ansin ach tús. Cáineadh a chloistear go minic is ea go bhfuil rian an Bhéarla le brath an iomad ar an gcineál Gaeilge a chleachtann an gnáthdhuine. Rinne Stiofán Mac Éanna tagairt do *in radharc na gach rud do bhí timpeall* mar aistriúchán ar 'in view of all the circumstances' (Ó Rinn, 1939: 77) agus bhí an port céanna á sheinm ag Liam Ó Muirthile ina cholún in *The Irish Times* (24 Iúil 1997), ag tagairt do dhuine a d'fhiafraigh de 'Bhfuil tú ag agreeáil leis an méid sin', faoi mar a dúirt an duine eile 'nach gcomhaontaíonn na diúilicíní leis'.

Tá na samplaí le feiceáil in aghaidh an lae den Ghaeilge bhéarlaithe seo: 'deir an traenálaí nach bhfuil doras ar bith dúnta orthu', 'tagann go leor daoine chugamsa mar ionadaí pobail', 'coibhneas ard feirmeoirí i measc an fhórsa oibre', 'gach lá tá daoine ag tréigeadh na feola', 'go raibh sé indéanta faoi láthair do suas le 95% de theaghlaigh an Stáit teacht air', 'ní dheachaigh na mórchomhlachtaí as a gcasán', 'bíonn bealach thart ar na deacrachtaí'.

Cad is cúis leis? Deir Pádraig Ua Maoileoin (1991: 5-11) faoi Ghaeilge na gluaiseachta: 'tá sí bacach, dronnach, camchosach, caolspágach. Mura mbeadh Béarla agat ní thuigfeá in aon chor í' agus tugann sé sampla den Ghaeilge sin, 'níl aon chomhartha de Sheán istigh fós'. Tugann sé an míniúchán: 'Go minic is lagaithris, focal ar fhocal, ar an mBéarla atá ann, ach i gléasta i gculthairt ghalánta'. Níl ansin ach leath na fírinne ach oiread. Tá meon an té a ghabhann don Ghaeilge á thachtadh ag forlámhas an Bhéarla. Ní gá dó bealaí an Bhéarla a fhágáil chun friotal a fháil ar chúinní rúnda a anama. Ní gá dó acmhainní na Gaeilge a fhorbairt chun na cúinní céanna a chur i bhfriotal i nGaeilge. A luaithe atá an bhunghramadach agus an caighdeán a bheag nó a mhór aige, tá an Ghaeilge - nó Gaeilge de shaghas éigin - aige.

Ach ní leor é chun rath a chur ar an aistriúchán. Óir tá dhá bhunfhadhb ag aon scríbhneoir Gaeilge agus ag an aistritheoir ach go háirithe: tá fadhb an fhriotail agus fadhb na tuisceana. An téacs atá doiléir in aon teanga, b'fhéidir go bhfuil an locht ar an ábhar féin. Téacs sa bhitheolaíocht nó san fhealsúnacht, ní thuigfidh é ach an té a bhfuil luí aige leis na hábhair sin. Ní gá go bhfuil deacracht leis an bhfriotal. Tá leis an tuiscint. Caithfidh an t-aistritheoir go Gaeilge an dá thrá a fhreastal, a chinntiú nach gcailltear radharc ar an tuiscint go háirithe más é a fhriotal siúd faoi deara an easpa tuisceana.

Doiléire na Gaeilge

Cad is ciall leis na habairtí seo a tógadh ón eagrán céanna de *Foinse* (15.6.1997): 'comhairleoirí cáilithe; deir an lucht eagraithe; ag déanamh athbhreithnithe tuairimí comhfhreagraithe'? An ionann an 'láthair nuafhorbartha' agus 'an t-oifigeach forbartha' atá de dhíth? An bhfuil an chiall soiléir, gan athbhrí? Cá bhfuil an locht? Ní cuidiú an comhthéacs i bhformhór na gcásanna. Ciallaíonn an éiginnteacht céille sin go bhfuil eidimeáil ar an teanga.

Mura dtabharfaidh an t-aistritheoir faoin dúshlán sin, ní méanar don teanga. Ach cad é an dea-Ghaeilge? Cad é mar is féidir í a aithint? Rinneadh ceangal docht idir an dea-Ghaeilge agus macalla de chaint ó bhéal anaithnid éigin i gceantar éigin agus mura bhféadfaí an Ghaeilge a shamhlú ag teacht as a leithéid de bhéal, ba dhroch-Ghaeilge í. Ach ní ar an mbonn sin ba cheart an dea-Ghaeilge a mheas ach ar bhonn na sothuigtheachta agus na soiléireachta. Ní mór di a bheith soiléir, sothuigthe; níl sí grusach, débhríoch, tá sí dírithe ar an scéala atá le tabhairt, tá sí gradamach leis an léitheoir. Tá sí faoi smacht mar léiríonn sí an smacht atá ag an údar ar a intinn agus ar a fhriotal agus ar an gcleamhnas a dhéanann sé idir cuspóir a aigne agus comharthaí sóirt a fhriotail.

Deir Pádraig Ua Maoileoin (1991: 12) go bhfuil daoine ag machnamh sa Bhéarla agus go bhfuil ábharthacht agus simplíocht na Gaeilge curtha i leataobh acu ach iad sáite i dteibíocht an Bhéarla. 'Mar ní mhairfeadh an Béarla gan teibíocht. Ach is í a thachtfaidh an Ghaeilge sa deireadh thiar'. Tugann sé sampla den Ghaeilge theibithe seo: 'is sócmhainn chultúrtha de chuid an náisiúin seo an Ghaeilge, agus is í an ghné is leithlí dár bhféiniúlacht í', mar aon lena leagan féin: 'níl seoid chultúrtha againn is fearr a léiríonn gur cine ar leith sinn ná an Ghaeilge'. Is fiú comparáid a dhéanamh idir an dá leagan. Deir Tomás Ó Máille (1937: iii) gur:

> ... féidir é seo a rá i gcoitinne, go luíonn an Ghaeilge le ciall agus le réasún, agus má bhíonn seafóid nó pleidhceáil ar bith ag baint leis an leagan, nach leagan ceart ná snoite Gaeilge é. Is fearr a luíonn an Ghaeilge (*cóirigh an leaba*. v. 'make the bed', nó *fliuch an tae* v. 'make the tea') le réasún, nó le brí na bhfocal ar chaoi ar bith. Tá ciall chruinn leis an bhfocal Gaeilge agus ciall neamhchruinn nó leathan leis an mBéarla.

Sin an cuspóir ba cheart a bheith ag an aistritheoir, an coincheap cruinn a aimsiú laistiar dá chaint chun go dtig leis an focal cruinn a aimsiú ansin. Ach tá fadhb eile ag an aistritheoir go Gaeilge atá beag beann ar a thuiscint don dea-Ghaeilge agus ar riocht a eolais féin. Tá an teanga féin amscaí, míshocair fós. Tá sí liopasta. Déantar cúram di mar a dhéanfaí cúram de chú caoch. Tugtar bláthach agus taoscán branda dó ó uair go chéile mar shólás dó. Coinnítear aos óg na tíre faoi chuing na teanga ach níl ann ach leamh-iarracht. Tá sí i mbéala báis; ná corraigh an iomad í. Is fiú mionstaidéar a dhéanamh ar an teanga mar a bhí sí fadó ach ná déantar aon chriathrú ar theanga mar atá sí sa lá atá inniu ann. Tá Rannóg an Aistriúcháin ag saothrú léi ó bunaíodh an stát agus an uile chineál téacs á aistriú aici, ach ní dhearnadh aon scrúdú ar an dóigh ar éirigh léi laigí agus easnaimh na teanga a chur in oiriúint do riachtanais an aistriúcháin.

Ní dhearnadh céimeanna feabhais a bhunú sa teanga. Bhí an forlámhas ag an gcaint bheo. Bhí an chaint bheo ar fheabhas. Bhí sárchainteoir amháin ar a laghad i ngach ceantar. Ba chuma faoin scríbhinn. Bhí cead a chinn ag gach cainteoir (agus ag gach dalta dá chuid) a chaighdeán féin a shocrú. D'éirigh leis an Rannóg ar deireadh thiar thall smacht éigin a chur ar chúrsaí sna caogaidí nuair a foilsíodh *An Caighdeán Oifigiúil* ach ní raibh ansin ach iarracht tosaigh, a bhí ina bhó gan lao, a bhain ach go háirithe leis an litriú agus ar thug na saineolaithe neamhaird air. Bhí na fáithe friotail ar a seanléim ar fud na tíre agus bhí draíocht na Gaeilge go slán sábháilte faoina réimeas. Córas don dalta scoile a bhí sa chaighdeán.

Ach ní hionann teanga labhartha agus teanga scríofa. Agus an difear is mó eatarthu baineann sé le gnó an aistriúcháin. Tá an scríbhneoireacht deacair, dochaideartha, doghrainneach, maslach. Caithfidh an scríbhneoir a bheith araíonach, foighneach, leanúnach.

Caithfidh sé síordhuainéis a chur air féin lena cheird. Déanann sé rogha agus rogha eile, déanann sé naoi rogha agus déanann sé an rogha a chriathrú naoi n-uaire agus d'ainneoin nach mó a shástacht dá liacht a chuid iarrachtaí, tá an teanga á múnlú agus a faobhrú aige. Chuir Stiofán Mac Éanna béim ar an deighilt idir an focal labhartha agus an focal scríofa seachtó bliain ó shin (Ó Rinn, 1939: 77):

> An gaol a bhíonn i gcónaí i ngach teanga aibí inniúil idir an friotal labhartha is friotal na litríochta: san uile theanga bíonn an friotal scríofa, is é sin, friotal na nuachtán chomh maith le friotal na fíorlitríochta, i bhfad níos saibhre, i bhfad níos ilghnéithí, i bhfad níos teannsínte, agus cóirithe is riartha i bhfad níos cúramaí ina dhathanna is ina chomhcheolta ná an friotal labhartha, agus bíonn sin amhlaidh fiú amháin nuair a ligeann scríbhneoir air bheith ag déanamh aithris go cruinn ar chaint tuatha nó ar chaint uiríseal chathrach... cé go bhfuil na Gaeil chomh cliste le haon chine ar domhan is beag ná gurb iad is lú go bhféadfaí a ngnáthchaint a ghlacadh mar chaighdeán, mar fhriotal ba leor ann féin nó mar fhriotal nár ghá dul lasmuigh de.

Toisc go raibh an chaint bheo gan teimheal, níor tugadh faoi chaighdeán teanga a bhunú. Dúirt an tAthair Peadar Ó Laoghaire (feic Martin, 1973: 63-4):

> The wonderful power and flexibility of the Irish alphabet rendered flexibility in spelling absolutely necessary. I am determined to stick to that flexibility. I want it. I cannot get on without it. I must be allowed to write *bliaghain* or *bliadhain* just as I like'.

B'iomaí éacht a rinne an tAthair Peadar ar mhaithe leis an teanga ach ní ar mhaithe léi a chuaigh an abairt sin. Ba leor an drochmheas a bhí ar lucht an Ghúim cheana gan a thuilleadh aithise a tharraingt orthu féin, agus ba leor an t-ualach oibre a bhí le hiompar ag an Rannóg gan trácht ar an mioscais a tharraing sí uirthi féin fad a bhí an caighdeán ag fabhrú, gan a bheith gafa le teoiricí agus prionsabail aistriúcháin agus teanga a tharraingt as a thaithí féin. Ní ham faltanais am géibhinn, a deirtear, ach ní mar sin a breathnaíodh ar cheist na Gaeilge. An caighdeán teanga nár oibríodh amach ag tús an chéid, nár oibríodh amach i lár an chéid, níl sé fós ann agus muid ag druidim le deireadh an chéid agus is é an t-aistritheoir is mó a bhraitheann uaidh é. Deirtear go dtarlaíonn na mórimeachtaí staire faoi dhó; is tragóid iad an chéad uair, ach an dara huair, is fronsa iad. Is cosúil gurb amhlaidh atá le cinniúint na Gaeilge.

Ó thosaigh an athbheochan ba dhual do gach glúin biseach éigin a chur ar riocht na Gaeilge mar theanga. Thug gach glúin a seandícheall riocht na Gaeilge sa stát a fheabhsú ach theip glan ar gach ceann acu toisc nár fhéach siad leis an teanga féin a dhéanamh níos acmhainní, níos rite, níos soiléire, níos féinchothaithí, níos folláine. Ach bhí, agus tá fós, deighilt i gceartlár na Gaeilge idir an bhéim a chuirtear ar fhorlámhas na cainte agus an iarracht a dhéantar rialacha a bhaineann leis an gcaint a chur i gcion ar theanga scríofa. Na rialacha sa teanga a bhaineann le hinfhilleadh, is rialacha don chaint iad sin nach gá bheith ann sa scríobh in aon chor. Ar an drochuair tá an focal *caighdeán* fite fuaite sa chóras a tugadh isteach sna caogaidí cé nach raibh baint ar bith aige siúd le caighdeán teanga. An tAthair Peadar an chéad duine a thug a bheannacht don neamhchúram sin. Deir Cathal Ó Háinle (1994: 792-3) linn gur chuidigh Máirtín Ó Cadhain leis i lár an chéid ina chuid scríbhinní féin bíodh is gur thug sé misneach agus ardmholadh do Niall Ó Dónaill as *Forbairt na Gaeilge* a scríobh (feic Ó Laighin, 1990: 191-209). Bhí an caighdeán teanga le meas san amharc siar agus ba é Peadar Ó Laoghaire buaicphointe an amhairc siar. Is trua nár tugadh an íde béil dó a tugadh do Montaigne, scríbhneoir mór na Fraince, sa séú haois déag toisc gur úsáid sé an iomad focal neamhchoitianta; bhí dhá fhadhb leis sin a dúradh leis, seans nach dtuigfí iad, agus dá dtuigfí féin, ní raibh siad ar an stór focal a bhí ceadaithe ag na saineolaithe. Cuireadh ina leith freisin gur úsáid sé comhréir nach raibh intuigthe ach i gcorrcheantar agus nár leor gnás an cheantair mar leithscéal chun na rialacha uilechoiteanna a shárú.

Dhéanfadh caighdeán teanga comharthaí sóirt na teanga a shainiú: cad is mórearráid teanga ann, cad is míchuibheas teanga ann, cad is friotal ciotach ann, cad is comhréir fhabhtach ann, cad is brille bhreaille de theanga ann; dhéanfadh sé difríochtaí stíle a shoiléiriú, idir an teanga oifigiúil foirmiúil agus an teanga laethúil neamhfhoirmiúil, mar shampla, idir teanga an dlí agus teanga na heaglaise, idir teanga an aonaigh agus teanga an tábhairne, idir teanga na céille agus teanga na díchéille, idir teanga na hoíche agus teanga an lae, idir teanga na meisce agus teanga na neamhmheisce. Ar an teanga scríofa amháin a chuirfeadh sé an bhéim. Tugadh caighdeán gramadaí scoile dúinn sna caogaidí ach níor tugadh faoi chomhréir chuimsitheach a thairiscint don scríbhneoir. Bhí ar gach aistritheoir/scríbhneoir Gaeilge aghaidh a thabhairt ar an bhfadhb sin as a stuaim féin gan léargas soiléir aige faoi cad is eiseamláir den dea-Ghaeilge scríofa má tá a leithéid ann. Ní thig leis ach leas a bhaint as rialacha a ceapadh do thrucail an asail ar chabhsa gairbhéil fad atá sé ag tiomáint i ngluaisteán mór ar an mótarbhealach.

Níor tugadh le tuiscint don ábhar scríbhneora nó aistritheora nach bhfuil an dara rogha aige ach a bheith ag scríobh leis gan staonadh, i gcónaí ar thóir na foirfeachta, ag iarraidh stíl a shaothrú atá gléineach, soiléir, cruinn, nádúrtha agus ciall aige don éagsúlacht agus don chomhchuibheas agus don luainneacht atá sa teanga. Níor míníodh nach féidir dea-theanga a chumadh ach ar bhonn an dea-mhachnaimh. Mar a dúirt Montaigne: 'bien écrire c'est bien penser'. Is é an toradh atá ar an bhfaillí seo nach bhfuil ach an t-aon chaighdeán teanga ann, atá fite fuaite ar dhóigh dhiamhrach éigin i gcáilíocht na cainte amháin ach nach eol do chách dáiríre cad is ciall leis agus go bhfuil cleachtóirí na cainte seo ag dul i ndísc.

Tá bunrialacha ann don scríbhneoir i dteanga ar bith agus oireann siad ach go háirithe don aistritheoir i gcás na Gaeilge. Ní mór dó géilleadh do rialacha agus do ghnásanna na teanga; níor cheart cliseadh roimh dheacrachtaí ná easnaimh na teanga ach iad a shárú agus a réiteach ar a dhóigh féin; lena linn sin caithfidh sé eolas a chur ar éirim agus ar éirimiúlacht agus acmhainn na teanga trí na dea-údair a léamh agus éisteacht leis na dea-chainteoirí. Tiocfaidh sé ar deireadh ar stíl phearsanta atá cruinn agus nádúrtha. Tuigfidh sé nach measa aon locht ná an doiléire nó an débhríocht agus nach miste dó an liostacht agus an mhóiréis a sheachaint ar aon uain.

Is doiligh gan teacht ar an tuairim gurb é an scáinteacht an tréith is minice a fheictear i ngnáthscríbhinní na Gaeilge anois. Feicfimid neart samplaí ar ball. Is beag tuiscint don teanga atá le brath. Tá daibhreas teanga ann, easpa caolchúise, ní hamháin maidir le foclóir agus le rithim ach maidir le hord na bhfocal féin. Níl aon ghontacht sa fhriotal. Níl ann ach siocair teanga. Mothaítear go bhfuiltear ag plé le teanga mharbh, nach bhfuil san iarracht ach gníomh dílseachta. Is é an t-aistritheoir a chuirfidh an teanga mharbh sin ar a bonnaí trína comhréir a chaomhnú go dána, trína foclóir a fhorbairt go cáiréiseach comhchuí, trína hacmhainní uile a láimhseáil amhail is mura mbeadh aon teanga eile ann ar domhan ach í agus go raibh slánú an chine ag brath ar íogaire a teachtaireachta.

Téacsanna Comhphobail

Maidir le téacsanna Comhphobail a aistriú go Gaeilge is minic an fhadhb chéanna ann. Dhéantaí an buntéacs sa Fhraincis i gcónaí tráth. Anois ní fios an ndéantar í i dtosach báire sa Fhraincis nó sa Bhéarla. In amanna déantar cuid de sa Bhéarla agus cuid sa Fhraincis. Ba cheart nach mbeadh aon difear ann dá n-éireodh leis an aistritheoir Béarla nó Fraincis múnla a theanga féin a chur oiread ar an aistriúchán agus ar an sliocht a scríobhadh ina theanga féin. Ní hamhlaidh a tharlaíonn. Sin an fáth nach mbíonn an leagan Gaeilge ar aon dul leis an leagan Béarla i gcónaí.

Samhlaigh ar feadh meandair nach raibh aon teanga eile ar domhan ach an Ghaeilge agus go raibh an cine trí chéile ag brath uirthi chun freastal dá riachtanais uile idir riachtanais eolais, siamsaíochta, cultúir, fealsúnachta, diagachta, leighis, agus ní luaim ach iad, agus go dtabharfaí cairde míosa di chun a chruthú go raibh ar a cumas fónamh ciallmhar, tuisceanach, soiléir, sothuigthe, inspéise, fódúil, aclaí, cuimsitheach a dhéanamh don duine is cuma cén ghné dá shaol a bhí i gceist, agus go raibh na scríbhneoirí gan cháim ann chun an cúram sin a dhéanamh, cá seasfadh an Ghaeilge? Nó samhlaigh arís nach bhfuil focal Béarla ag an léitheoir Gaeilge, scríobh an teanga chun go dtuigfear gan stró í.

Sin an fáth a bhfuil dúshlán chomh mór sin ar an aistritheoir go Gaeilge feasta. Caithfidh sé ceacht a fhoghlaim óna ndearnadh cheana mar aistriúcháin ach ceachtanna a fhoghlaim in aghaidh an lae ionas go ndéanann sé na castachtaí atá i dteangacha eile a roiseadh agus a fhriotal féin a chur in oiriúint do mhúnlaí na Gaeilge. Seachas na deacrachtaí gairmiúla caithfidh sé féin deacrachtaí na Gaeilge a réiteach dó féin. Níl aon údarás sa Ghaeilge chun deacrachtaí teanga a leigheas ná chun an réiteach a mholtar a fhormheas.

Ní bheadh deacracht mar sin ann, nó ba lú mar dheacracht í, dá mbeadh an t-aistritheoir ag plé le cultúr na Gaeilge. Ach is le himeachtaí nach raibh aon tsuim ag an nGaeilge iontu leis na cianta atá an t-aistritheoir ag plé. Bhí an dá dhomhan ann riamh. Bhí domhan cúng cosanta na Gaeilge agus an domhan mór amuigh agus phléítí cúrsaí an domhain sin i mBéarla. Is iad mionsonraí uile an domhain sin atá mar ábhar oibre ag an aistritheoir.

Bhí an Ghaeilge faoi scáth an Bhéarla ó thosaigh an athbheochan. Ach ní hionann Béarla 1997 agus Béarla 1897. Ní minic a thugtar faoi deara an forás as cuimse atá tagtha ar an mBéarla sa chéad seo. Sin an fáth nach ndeachthas i mbun an Ghaeilge a fhorbairt d'aon turas mar ba chóir. Nuair a foilsíodh *An Caighdeán Oifigiúil* san caogaidí, ba mhórtheanga í an Béarla ach ní raibh trácht uirthi mar theanga dhomhanda. Deir David Crystal (1997: 24): 'In 1950, the case for English as a world language would have been no more than plausible. Fifty years on and the case is virtually unassailable'.

Ba chuma mura mbeadh tionchar an Bhéarla chomh láidir orainne Gaeilgeoirí. Bíonn an claonadh ann i gcónaí eiseamláir an Bhéarla a leanúint seachas teangacha ar bith eile. Feic an difear idir an abairt 'a market access strategy' agus an leagan Fraincise 'une stratégie d'accès aux marchés'. Liosta ainmfhocal atá sa Bhéarla gan aon cheangal eatarthu agus tuigtear mar sin iad. Is fearr leis an bhFraincis réamhfhocail a úsáid chun an chiall a shlánú. Cad é a bheadh sa Ghaeilge: 'straitéis rochtana margaí' nó 'straitéis chun na margaí a rochtain'? Amharc ar théarma eile atá i mbéal an phobail le tamall anuas, 'hot pursuit'. Ní fhéachann an Fhraincis le haithris a dhéanamh ar ghontacht an Bhéarla. Is leor léi 'poursuite au-delà des frontières' a rá. Tá *go te sa tóir orainn* in FGB, 'hot pursuit of us', ach cad é mar a dhéanfaí coincheap dlí as *tóraíocht the*, nó arbh fhearr eiseamláir na Fraincise a leanúint, *tóraíocht thar teorainn amach*? Dúirt Príomh-Chonstábla an RUC go raibh *rogha an dá dhíogha* le déanamh aige maidir le paráid Dhroim Cria: 'a choice between two evils'. Ach cad a dúradh sa Fhraincis ach 'le choix entre deux démons'. D'ainneoin dhúil na Fraincise sa teibíocht, roghnaigh an t-aistritheoir ansin bealach na neamhtheibíochta, rinne sé an t-aistriúchán a phearsantú.

Tá nós sa Ghaeilge anois, nuair atá liosta ainmfhocal mar sin sa Bhéarla, aithris a dhéanamh ar liosta an Bhéarla ach gach ainmfhocal ach an chéad cheann a chur sa ghinideach. Nuair atá an fhoirm chéanna sa ghinideach agus atá san ainmneach, níl sé ródhona, ach nuair atá liosta de ghinidigh ann, ní hamháin go gcuirfí beaguchtach ar an saineolaí is géarchúisí ach cailltear greim ar an gciall ar fad. Déantar teanga neamhchiallmhar den Ghaeilge. B'fhearr gan an éalang sin a chur de bhreis ar a bhfuil de mháchailí uirthi cheana.

Oireann an ghontacht don Ghaeilge minic go leor óir tá mianach na gontachta inti ach is annamh a oireann an ghontacht atá sa Bhéarla nua-aoiseach, an Béarla teicniúil ach go háirithe, do ghnás na Gaeilge. Athrú meoin atá riachtanach chun meon an Bhéarla a sheachaint agus leagan a sholáthar atá intuigthe agus soiléir. Tá an ghontacht i gcás *cáinioncam* (income tax) mar a bhfuil 'impôt sur le revenu' sa Fhraincis. Sa Fhraincis freisin deirtear 'chirurgie par le trou de la serrure' in ionad 'keyhole surgery', ach sa Ghaeilge tá *máinliacht mionchró* (CT,1994). Ar an téarma Béarla 'a case of circumvention' tá sa Fhraincis 'affaire dans laquelle la réglementation a été contournée'. Cad a déarfaí sa Ghaeilge: 'cás imchéimnithe'! Sárfhocal traidisiúnta is ea é *imchéimniú*, ach is beag ciall atá leis san abairt sin. An mithid don Ghaeilge lorg na Fraincise a leanúint agus 'cás ina ndearnadh na rialacháin a imchéimniú' a rá? Is féidir 'concrete health prevention and promotion objectives' a rá gan deacracht i mBéarla ach sa Fhraincis tá 'objectifs concrets de prévention et de promotion de la santé'; i nGaeilge b'fhearr *cuspóirí maidir leis an míochaine choisctheach agus leis an tsláinte a chur ar aghaidh* in ionad bheith ag iarraidh aithris a dhéanamh ar an mBéarla.

Tá tagairt ag Diarmaid Ó Sé (1991: 44-45) don fhadhb seo i léirmheas a scríobh sé ar *Beginners Irish Dictionary* le Yvonne Carroll:

> de Bhaldraithe's EID unfortunately gave some standing to newly-coined compound words which are at variance with the nature of the language ... the fact that *taephota* (from 'teapot') entered the spoken language naturally does not justify coining *caifephota* (why not *pota chun caife*?). Irish, like French, is given to round-about expressions of many adjectival concepts; just think of the *train à grande vitesse*, and compare *inneall fuála* and *machine à coudre* with 'sewing-machine'. Instead of speaking of a *duine gealchraicneach* one would say *duine a bhfuil craicneann geal air* or the like. Concocting adjectives to fill supposed gaps in the language restricts expression to the level of *Tá mé fuar*, instead of the more idiomatic *Tá fuacht orm*. Doubtless adjectives, however fanciful, proved easier to slot into the blank spaces which were the translator's starting point than prepositional idioms.

Caithfidh an t-aistritheoir a bheith an-chúramach maidir le ciall na habairte sa Bhéarla. Caithfidh sé deimhin a dhéanamh de go dtuigeann sé éirim na brí sin sula dtabharfaidh sé faoi leagan Gaeilge a chur ar fáil. Is tiargálaí é. Má chuireann sé an bhéim ar shoiléireacht a theanga déanfaidh sé leas na Gaeilge. Ní mór dó a thuiscint nach leor dó géilleadh do rialacha na gramadaí chun dea-aistriúchán a dhéanamh. Ní mór dó a chuimhneamh gur cumadh na rialacha sin chun freastal ar riachtanais phobal a bhí aonteangach agus nach fearrde i gcónaí an t-aistriúchán iad a leanúint ródhocht.

Ach is fadhbanna foclóra agus céille atá le réiteach ag an aistritheoir go Gaeilge agus ní fadhbanna gramadaí. Má deirtear sa Bhéarla 'the rocks become exposed at low tide', tá gach cineál deacrachta ann chun an Ghaeilge cheart a aimsiú: cad é mar a aistrítear 'become', cad é an bealach is fearr chun an fhaí chéasta a thiontú, cad é an réamhfhocal is fearr? Ach is leor machnamh a dhéanamh ar mheon na Gaeilge chun a thuiscint gur fadhb de shaghas eile ar fad atá le réiteach, nach mór cur chuige eile ar fad a ghlacadh agus *nochtann na carraigeacha le lag trá* an leagan is fearr. Amharcann an Ghaeilge ar an domhan go minic mar neach beo atá in ann a chuid gníomhaíochtaí féin a eagrú beag beann ar gach fórsa eile. Abairt an-neamhchoitianta eile a chuirfeadh crua ar aistritheoir neamh-aireach: 'make do without it'. Is fiú féachaint le dul taobh thiar den mheon dúchasach chun teacht ar *déan do rogha ceal de*.

Focail atá i gceist mar sin agus conas iad a úsáid. Fad a bhaineann le focail d'fhéadfadh dhá dheacracht a bheith ann: nach dtuigtear an focal sa bhunteanga (Béarla de ghnáth; deacracht nach dócha mar sin nuair is aistriúchán go Gaeilge atá i gceist), nó nach dtuigtear cad é an focal coibhéiseach sa sprioctheanga (Gaeilge, deacracht is dóichí). An réiteach is fusa ar an bhfadhbh sin gan amhras, is ea an foclóir a cheadú. Is díomhaoin an foclóir, áfach, gan tuiscint ghlé do impleachtaí an fhocail sa sprioctheanga. Feicfimid thíos gurb iomaí fadhb atá le sárú ag an aistritheoir Gaeilge atá ag iarraidh focal cruinn amháin a aimsiú. Agus mar bharr ar an donas, is údar éiginnteachta an foclóir mura gceadaítear go stuama é. An mac léinn ollscoile atá ag iarraidh 'third-year stripper' a fháil don chóisir, b'fhearr dó gan *ciúrach* a lorg.

Ní gá gurb ionann an Béarla agus an Ghaeilge ar aon dóigh ach amháin go n-úsáideann siad araon na litreacha céanna. Is féidir a mhaíomh gur leithne agus gur doimhne raon na Gaeilge i réimsí áirithe ach, i gcoitinne, tá éagsúlacht ainmheasartha téarmaíochta sa Bhéarla. Ceaptar go bhfuil 50,000 focal i ngnáthúsáid sa Bhéarla (i gcomparáid le 20,000 sa Fhraincis agus sa Ghearmáinis). Cá mhéad atá sa Ghaeilge? An eol dúinn? Ní furasta an téarma coibhéiseach a shuíomh i nGaeilge don ghnáth-théarma Béarla ná ní furasta bheith ag iarraidh aithris a dhéanamh ar raon na gcomhchiallach. Tá éagsúlacht seo an Bhéarla ag dul chun fiántais. Tugtar *éalang radhairc* in FS ar 'visual defect' nuair is téarma teicniúil é, ach an neamhionann é agus *drochamharc*?

D'ainneoin í a bheith ar obair go dícheallach le seachtó bliain agus raidhse téarmaí comhchiallacha socair aici, níor pháirtigh Rannóg an Aistriúcháin na téarmaí coibhéiseacha sin leis an bpobal riamh (seachas in TD agus i leabhrán beag dar teideal *Phrases in English and Irish - Abairtí i mBéarla agus i nGaeidhilg* - cé go bhfuil sé gan dáta, caithfidh gur foilsíodh sna tríochaidí é). Ach leantar go dílis sa Rannóg na téarmaí atá ann cheana. Tá 'cliarlathas' téarmaíochta á úsáid sa Bhruiséil freisin nach mór cloí leis, cé nach ndéantar i gcónaí. Tugtar difear i seasamh an Aontais le tuiscint go minic trí mheán an bhriathair a úsáidtear, idir 'encourage', *cothaigh*, 'stimulate', *spreag*, 'promote', *cuir ar aghaidh* agus 'foster', *taobhaigh*. Is briathra bána iad dáiríre toisc gur le hintinn pholaitiúil a úsáidtear na téarmaí éagsúla; ní hionann an éifeacht atá leo agus atá le *beidh de cheangal ar*, 'required', nó *beidh d'iallach ar*, 'obliged'; tá difear freisin idir 'protect', *cosain*, 'preserve' *caomhnaigh*, 'uphold', *cumhdaigh* (tá *do chosnamh an reachta*, 'to uphold the rule', in FGB freisin) agus 'safeguard', *coimircigh*; idir 'maintain (laws, provisions)' (*coimeád ar bun* nó *cothabháil*), agus 'maintain' nuair is 'detain' (*coinnigh*) agus 'custody' (*coimeád*) atá i gceist. B'fhusa i bhfad dá mbeadh teacht go forleathan ag gach aistritheoir ar na téarmaí coibhéiseacha sin sa mhéid go bhfuil siad ann agus á n-úsáid ag aistritheoirí áirithe in áit éigin, ach is leasc le Gaeilgeoirí cloí leis an téarma céanna má thig leo ceann nua a fháil. Sin an fáth b'fhéidir nach n-amharctar ar théarmaí mar bhuantéarmaí riamh. Mar a fheicfear i gCaibidil 5, tugtar neamhaird ar na téarmaí in *Téarmaí Dlí* féin bíodh is gur tiomsaíodh iad as 'na hOrduithe a rinneadh faoin Acht Téarmaí Dlíthiúla Gaeilge, 1945'.

Cé gur foclóir ginearálta é ní bhíonn FGB ar neamhréir leis an téarma teicniúil i gcónaí go háirithe i gcúrsaí talmhaíochta; ach feic freisin go bhfuil *bannaí bisigh* ann mar atá in FSG ar 'premium bonds'. Ach tríd is tríd is foclóir neamhtheicniúil é. Níor mhiste don aistritheoir mar sin dul ar iontaoibh na sanasaíochta ó am go chéile. Is fiú an stair a bhaineann le focail mar *comhlíon/comhaill* a leanúint, atá ann le fada ach a bhfuil ciall nua á greamú dóibh. In DIL tugtar *comlínad*, 'filling up', 'completing', 'fulfilling' agus is léir go ndearnadh an briathar as *comhlíon* (faoi mar a rinneadh *comhlánaigh* as *comhlán*). Tagann *comhaill* ó *comalnaithir* (ainm briathartha, *comall)*, 'fulfil', 'carry out', 'discharge'. ('remplir', 'accomplir', 'exécuter' a thugtar in Vendryes). Leanann an Duinníneach DIL maidir le *comhaill*: 'fulfil', 'perform, 'discharge' agus tá 'fulfil', 'finish', 'fill up' ar *cóimhlíon*. Tugtar 'comply with, perform' ar *comhlíon* in TD (*conradh a chomhlíonadh*, 'performance of a contract', mar atá in

FSG freisin) agus níl tagairt do *comhaill*; deirtear in FF go gciallaíonn *comhlíon* 'fulfil' agus tá FGB idir eatarthu. In FFT tugtar *ráthaíocht chomhlíonta* ar 'completion guarantee'. Is fiú amharc ar an dá iontráil in FGB:

> COMHAILL, fulfil, perform. **Gealltanas, dualgas, a chomhall**, to carry out a promise, obligation. **Rjail a chomhall,** to observe a rule.
> COMHLÍON, fulfil. **1.** Perform, observe. **Gealltanas, dualgas, a chomhlíonadh**, to carry out a promise, an obligation. **Coinníoll, ordú, a chomhlíonadh**, to comply with a condition, an order. **Aitheanta, rialacha, a chomhlíonadh,** to keep commandments, rules. **Breithiúnas aithrí a chomhlíonadh**, to perform a penance. *Jur:* **Breithiúnas a chomhlíonadh**, to perform a penance. **2.** Complete. **Chomhlíon sé an bhliain**, he lasted out the year. *Nuair a bhí an aimsir comhlíonta*, when the time was completed. **3.** Satisfy. **-faidh mé leat é,** I'll make it up to you, do as much for you.

Feictear, bíodh is go dtugtar 'fulfil' mar phríomhbhrí le *comhaill* agus le *comhlíon* araon nach bhfuil tagairt ar bith don bhrí sin sa chuid eile den iontráil. Ní léir ach oiread cad is brí leis an gcló iodálach i gcás amháin faoi *comhlíon*. An gciallaíonn sé gur sliocht as údar éigin é agus cad é an difear idir é agus na samplaí eile? Toisc go ndéantar idirdhealú go minic i dtéacsanna reachtaíochta is é an gnás a leantar, *comhlíon* mar atá in TD agus *comhaill* ar 'fulfil', 'satisfy', 'meet', faoi mar atá in Airteagal 180 (d) de Chonradh Maastricht:

Conradh Maastricht
If the Court of Justice finds that a national central bank has failed to fulfil an obligation under this Treaty, that bank shall be required to take the necessary measures to comply with the judgment of the Court of Justice.

Si la Cour de Justice reconnaît qu'une banque centrale nationale a manqué à une des obligations qui lui incombent en vertu du présent traité, cette banque est tenue de prendre les mesures que comporte l'exécution de l'arrêt de la Cour de Justice.
Má fhaigheann an Chúirt Bhreithiúnais gur mhainnigh banc ceannais náisiúnta oibleagáid faoin gConradh seo a chomhall, cuirfear de cheangal ar an mbanc ceannais náisiúnta sin na bearta is gá a ghlacadh chun breithiúnas na Cúirte Breithiúnais a chomhlíonadh.

Is fearr a thig leis an aistritheoir go Gaeilge an foclóir coibhéiseach seo a chur i dtoll a chéile breaceolas a bheith ag ar an tsanasaíocht. Is féidir leis focal ársa nó seanchiall a athbheochan má tá ciall éigin aige do fhorás na teanga agus don dóigh inar úsáideadh téarmaí áirithe sna seanaistriúcháin. Is cinnte gur fearr a thuiscint don teanga mar atá sí anois, eolas a bheith aige ar fhasaigh na téarmaíochta. Ní mór dó a aithint go bhfuil a leithéid ann agus téarmaí atá coibhéiseach ó theanga go teanga agus ní mór dó ansin cloí le pé téarma atá ann i gcomhthéacs ar leith. Ach ní hionann an Béarla agus an Ghaeilge ar gach dóigh. Tá an-ghátar nuála sa Bhéarla. Smaoinigh ar fhocal mar 'debunk' a chualathas a chéaduair i 1927, bliain an Duinnínigh. Ach bhí *debunk* tar éis síolrú le céad bliain anuas ó *bunkum* > *bunk*. An ionann *bunkum* agus *balderdash*. Is ionann iad dar linne gan amhras maidir le ciall de cé go bhfuil sanasaíocht eile ar fad ag gabháil leo. Ní gá don Ghaeilge sa chás sin focal coibhéiseach a lorg. Is leor ciall an fhocail a shuíomh agus an chiall a aistriú. Tá a sháith d'fhocail choibhéiseacha sa Ghaeilge cheana chun cur síos ar an riocht sin: *áiféis, amaidí, díchiall, seafóid* agus ní luaim ach iad.

Léiríonn an sampla sin an tábhacht a ghabhann le tuiscint cheart ar an mBéarla; mura dtuigtear go bhfreagraíonn an focal Gaeilge d'éirim an Bhéarla, beidh an Ghaeilge breac le cló iodálach feasta mar atá cheana i gcás *agenda*, nó i sampla mar seo: 'sa dispeansáid nualiobrálach *no-nonsense* seo'. Cad é an Ghaeilge chuí ansin, *dúshlánach*? Smaoinigh ar fhocail mar 'all-embracing', 'overarching', 'all-inclusive'; níl iontu uile ach leagan malairte ar 'comprehensive'. Cuirtear dlús nua polaitiúil leis an smaoineamh más féidir focal nua a chumadh. Ach is leor *uile-ghabhálach* nó *cuimsitheach* chun gach ceann acu a aistriú go beacht. Cad faoi abairtí Béarla mar: 'in keeping with his propensity for vehement vagueness' nó 'couch potatoes need professional gossips to have conversations for them', nó 'a simple cause-and-effect cycle', nó 'big bang' nó an tús a mhol John Updike le scéal ar an idirlíon: 'Miss Tessa Polk at ten-ten alighted from the elevator on to the olive tiles of the nineteenth floor only slightly nagged by a sense of something wrong', cá bhfuil an leagan Gaeilge a bheadh oiriúnach chun tuin agus réim agus stíl an Bhéarla a aistriú?

Tá sé suimiúil an méid atá le rá ag Pádraig Ó Súilleabháin (1964: 51) faoi *Stair an Bhíobla*:

> Ní aistriú focal ar fhocal atá ann. Tá go leor miondifríochtaí idir í féin agus an téacs Fraincise. Níl sí chomh hiomlán le hinsint Fontaine, ar an ábhar go ndearnadh í a ghiorrú in go leor áiteanna. Is tearc áit is mó ina bhfuil sin le feiceáil ná sna teagaisc mhorálta. Os a choinne sin thall, tá roinnt nithe de bhreis ag an *Stair* ar an *Histoire*.

Smaoinigh freisin ar an iliomad téarmaí as réimse na ríomhaireachta nach raibh trácht orthu deich mbliana ó shin agus atá sa ghnáthchúrsaíocht anois. Is doiligh abairt a dhéanamh feasta in aon chomhthéacs gan 'interface' nó 'booting' a dhéanamh. (Tá éirim nua faighte ag 'interface' gan amhras mar is léir ón gcaint seo ó Ken Maginnis: 'We will not interface with a terrorist organisation at the table of democracy through the front door or the back door'; níor cheart an milleán a chur ar 'interface' sa chás seo má tá ciall na habairte doiléir). Tiocfaimid ar ais ar an ngné sin d'fhadhb na Gaeilge i gcaibidlí éagsúla ar fud an tsaothair. Tá acmhainn as cuimse sa Bhéarla téarmaí nua a chumadh.

Tá mionfhadhb eile nach miste a lua anseo. Tá cuimse samplaí de 'comhfhuaim' (homophone), nuair is ionann an fhuaim ach nach ionann an fhoirm ná an chiall ('meat/meet', 'flour/flower'), de 'comhainm' (homonym), nuair atá an t-aon fhoirm ach nuair atá níos mó ná ciall amháin ag focal agus gan aon ghaol idir na cialla éagsúla ('bank', 'mole') agus de 'ilchiallach' (polysemy) atá cosúil leis an gcomhainm ach go bhfuil gaol idir na cialla éagsúla. Is é an comhainm i mBéarla is mó a chuireann as don aistritheoir nuair nach bhfuil ach an t-aon fhocal amháin ann ach raidhse bríonna éagsúla ag gabháil leis. Toisc nach ionann na samplaí comhainmneacha ó theanga go chéile, caithfidh an t-aistritheoir go Gaeilge a bheith ar an airdeall go buan chun a chinntiú go bhfreagraíonn sé go beacht don bhunleagan. Os a choinne sin, is ionann go minic an 'ilchiallach' ó theanga go teanga, a bheag nó a mhór, ach amháin go bhfuil an-bhorradh tagtha orthu i mBéarla, mar a fheicfimid thíos i gCaibidil 3. Is ionann *ceann* agus 'head'; tá *ceann teaghlaigh, ceann roinne, ceann staighre, ceann leapa* ann, faoi mar atá i mBéarla. Is amhlaidh le *cos, cos cathaoireach, cos pota* ach b'fhearr *bun sléibhe* ná *cos sléibhe.* Léiríonn focal mar 'run' go leanann an Ghaeilge an Béarla sa mhéid go n-úsáidtear *rith* mar ainmfhocal agus mar aidiacht. Léiríonn focal mar 'date' an deacracht. Is comhainm agus ilchiallach é ar aon uain. Is comhainm 'date' nuair is toradh é agus nuair is coinne é. Ach téann an focal 'date' (=*coinne)* chun scaoilteachta ar fad sa Bhéarla. Is ilchiallach é ansin, an dáta ar an litir, an choinne le duine eile a d'fhéadfadh a bheith cairdiúil nó a mhalairt, agus ansin is féidir é a úsáid mar ainmfhocal nó mar bhriathar. Cad is ciall le 'how about a date?' Ní fios ach amháin sa chomhthéacs. Tá leaganacha nua tagtha chun cinn sa Bhéarla amhail 'blind date' (*coinne chaoch* nó *coinne gan choinne*?) agus 'date-rape'.

Ábhar machnaimh.

• Cén fáth a raibh drochmheas chomh mór sin ar an aistriúchán ag tús an chéid seo nuair atá traidisiún aistriúcháin chomh láidir sin sa Ghaeilge?

• Cén fáth nár tharla aon fhorás ceart ar an nGaeilge mar theanga scríofa ó thús na hAthbheochana? An bhfuil cúiseanna sochtheangeolaíocha/síceolaíocha ann? An dtarlóidh an forás amach anseo ?

• Ar cheart dúshlán na Gaeilge a chur ar an aistritheoir amháin nó arbh fhiú smaoineamh ar athscrúdú cuimsitheach a dhéanamh ar shainairíonna na teanga?

• Cuireadh i leith eagraíocht spóirt go rabhthas ciontach in 'a shocking lack of ambition, dedication, coaching and leadership ... a world that accepts mediocrity'; arbh fhéidir an cúiseamh céanna a dhéanamh i gcoinne lucht na Gaeilge?

Foinsí eolais: (tugaim leabharliosta cuimsitheach ar an ábhar seo in *Dúchas na Gaeilge*, thíosluaite, ar leathanaigh 227-228).

Cronin, Michael *Translating Ireland*, Cocaigh, 1996.

Crystal, *David Global English: English as a global language*, Cambridge, 1997.

Hughes, Art 'Gaeilge Uladh' in McKone, 611-660.

Mac An Iomaire, Séamas *Cladaí Chonamara*, Baile Átha Cliath (BÁC), 1985 (eagrán nua).

Mac Maoláin, Seán *An Bealach chun na Gaedhealtachta*, BÁC, 1927.

Mac Maoláin, Seán *Lorg an Bhéarla*, BÁC, 1957.

McKone, Kim, et al. eag. *Stair na Gaeilge*, Maigh Nuad, 1994.

Mac Niocláis, Máirtín *Seán Ó Ruadháin: Saol agus Saothar*, BÁC, 1991. (Staidéar ar dhuine de na scríbhneoirí a bhí páirteach i scéim an Ghúim agus a raibh an-treoir le tabhairt aige ar mhianach na Gaeilge ina cholún 'Ceart nó Mícheart' in *Feasta* idir 1960 agus 1965.)

Martin, F.X. agus Byrne, F.J. eag. *The Scholarly Revolutionary: Eoin Mac Néill 1867-1945*, BÁC, 1973.

Millet, Benignus, OFM 'The Translation work of the Irish Franciscans' in *Seanchas Ardmhacha*, 17, 1996-97, 1 -25.

Nic Eoin, Máirín/Mac Mathúna, Liam, eag. *Ar Thóir an Fhocail Chruinn*, BÁC, 1997. (Mar aon leis an bplé an-ghéarchúiseach ar chuid mhór d'fhadhbanna na Gaeilge i láthair na huaire, tá leabharliosta an-úsáideach le fáil ag deireadh an leabhair.)

Nic Thaidhg, Andrea 'Ó na Brüder Grimm go Thomas Mann: Saothar aistrithe Phádraic Uí Mhoghráin ón Ghearmáinis', in *Irisleabhar Mhá Nuad*, 1996-97, 145-184. (Mionstaidéar comparáideach ar scríbhneoir nach bhfuil mórán eolais faoi agus a bhí páirteach mar aistritheoir in obair an Ghúim ó 1933 go 1956.)

Ó Baoill, Dónall P. *An Teanga Bheo*, BÁC, 1996. (Gaeilge Uladh.)

Ó Cadhain, Máirtín 'Conradh na Gaeilge agus an Litríocht' in Ó Tuama, Seán (eag.) *The Gaelic League Idea*, Corcaigh, 1972, 52-62.

Ó Dónaill, Niall *Forbairt na Gaeilge*, BÁC, 1951.

Ó Háinle, Cathal 'Ó Chaint na nDaoine go dtí an Caighdeán Oifigiúil' in McKone, 745-793.

Ó hUiginn, Ruairí 'Gaeilge Chonnacht' in McKone, 539-609.

Ó Laighin, Seán eag. *Ó Cadhain i bhFeasta*, Baile Átha Cliath, 1990.

Ó Máille, Tomás *An Béal Beo*, BÁC, 1937.

Ó Maoileoin, Pádraig *Iomairí Críche*, BÁC, 1991.

Ó Rinn, Liam *Mo Chara Stiofán*, BÁC, 1939.

Ó Ruairc, Maolmhaodhóg *Dúchas na Gaeilge*, BÁC, 1996.

Ó Ruairc, Maolmhaodhóg *Díolaim d'Abairtí Dúchasacha*, BÁC, 1996.

Ó Ruairc, Maolmhaodhóg 'Seosamh Mac Grianna: Aistritheoir' in *Comhar*, Eanáir 1988, 30-34.

Ó Sé, Diarmuid *An Teanga Bheo*, BÁC, 1995. (Gaeilge na Mumhan.)

Ó Sé, Diarmuid léirmheas ar ar *Beginners Irish Dictionary* le Yvonne Carroll in *Teangeolas*, 29, 1991: 44-45.

Ó Súilleabháin, Pádraig 'Tuilleadh faoi *Stair an Bhíobla*' in *Éigse*, 11, 1964, 51.

Ua Súilleabháin, Seán 'Gaeilge na Mumhan' in McKone, 479-538.

Stockman, Gearóid *Cruinneas Gramadaí agus Corrfhocal Eile*, Béal Feirste, 1996. (Déantar plé an-inspéise sa saothar seo ar ghnéithe de ghramadach na Gaeilge nach dtugtar aird ar bith orthu de ghnáth.)

Titley, Alan *An tÚrscéal Gaeilge*, BÁC, 1991. (Tagairtí inspéise do na haistriúcháin a rinneadh agus ar an bhfiúntas atá iontu.)

Caibidil 2
Gairm an Aistriúcháin

Bíodh is go raibh ar gach cine riamh anall saothair agus téacsanna agus doiciméid de gach cineál a aistriú ar ais nó ar éigean ó theangacha iasachta go dtí a theanga féin, bíodh is nach mbíodh aon chaidreamh idirnáisiúnta ann ná aon mhalartú eolais idir na ciníocha gan an t-aistriúchán, níor amharcadh air riamh ach mar ghníomhaíocht thánaisteach. Níor aithníodh go raibh tábhacht leis. Níor féachadh le prionsabail agus teoiricí aistriúcháin a oibriú amach ach le tamall de blianta anuas. Baineadh earraíocht as an aistriúchán chun teangacha iasachta a theagasc nó a fhoghlaim ach níor tugadh aon treoir faoi mhodheolaíocht an aistriúcháin. Ní raibh ann ach teanga amháin a chur in ionad teanga eile. Níor ghá aon eolas ná aon oilteacht ar leith chuige.

Cad is brí le haistriúchán pé scéal é? Tá trí chiall san fhocal féin. Ciallaíonn sé ar an gcéad dul síos an cleachtas féin, is ionann é freisin agus gníomh nó gníomhaíocht an aistritheora agus is ionann é agus an saothar a chuirtear ar fáil, toradh na gníomhaíochta sin. Ní hionann é a thuilleadh agus an ceacht a dhéantar ar scoil mar chuid de rang teanga. Is téacs é a chuirtear os comhair an phobail. Is gníomh cumarsáide é mar sin. Agus is é bunchuspóir an aistriúcháin, leagan den bhunsaothar a sholáthar atá ar comhchéim cáilíochta leis, a d'fhéadfadh teacht ó pheann an údair ach eolas a bheith aige ar an spriocteanga.

Tugtar 'version' agus 'thème' ar an aistriúchán Fraincise de réir mar atá an t-aistriúchán á dhéanamh ón máthairtheanga (*thème*) nó chuig an mháthairtheanga (*version*). Is cuid den chóras scolaíochta an cur chuige sin ar an aistriúchán agus is é múineadh na teanga iasachta an príomhchuspóir atá leis. Ní fhreagraíonn ceachtar acu don cheird is aistriúchán anois, óir is cuspóir ann féin an t-aistriúchán. Tuigeadh tráth gur leor taithí a fháil in *thème* agus *version* chun gnó an aistriúcháin a dhéanamh go diail. Is díchódú comharthaí atá le déanamh sa *version*; ní mór a chruthú go dtuigtear an téacs. Os a choinne sin, is cineál luíocháin é *thème*, trína gcuirtear an dalta faoi scrúdú ceilte gramadaí.

Tuigtear anois nach áis teagaisc é an t-aistriúchán - más ceadmhach féin leas a bhaint as chun teangacha a theagasc - ach go bhfuil gairm an aistriúcháin ann atá ag dul i dtábhacht agus toisc gur gairm é a bhfuil ceird an aistritheora ann. Tá borradh dochreidte tagtha le caoga bliain anuas ar líon na n-eagraíochtaí idirnáisiúnta ar fud na cruinne. Ní fhéadfaí iad a chruthú murach tacaíocht an aistriúcháin. Ba ghá leaganacha sainiúla de gach comhaontú idirnáisiúnta a bheith ann, mar ní bheadh ciall leo mura mbeadh a leagan údarásach féin ag cách. Tá an tAontas Eorpach bunaithe ar an bprionsabal go bhfuil gach saoránach (ach an Gaeilgeoir) i dteideal bunrialacha an Aontais a léamh ina theanga féin. Sin an fáth a bhfuil míle go leith aistritheoir ag saothrú san Aontas. Is léir go mbeidh dul chun cinn polaitiúil agus eacnamaíoch an domhain ag brath ar aistritheoirí feasta.

B'amhlaidh a bhí riamh ar ndóigh ach is le déanaí amháin a tuigeadh an méid a rinne ceird an aistriúcháin chun an caidreamh a chothú idir dhaoine ar fud na cruinne. Ba bheag an tuiscint a bhí ag daoine ar theangacha iasachta agus b'éigean constaic na neamhchumarsáide a shárú. Ceapadh tráth go raibh an t-aistriúchán an-fhurasta, go bhféadfadh éinne é a dhéanamh, nach raibh i gceist ach focail i dteanga amháin a chur in ionad na bhfocal i dteanga eile. Ceapadh tráth eile go raibh an t-aistriúchán dodhéanta sa mhéid nach raibh ann ach an buntéacs faoi bhréagriocht. Ceapadh nó maíodh go raibh an iomad neamhréireachtaí idir aon dá theanga nach raibh san aistriúchán ach cur i gcéill. Ba bheag tagairt a rinneadh don aistriúchán sa teangeolaíocht; is ar éigean má tá tagairt dó sna ciclipéidí móra (is suimiúil go raibh alt fada ar an aistriúchán i gCiclipéid clúiteach Diderot san ochtú haois déag maille le scéim iomlán tagairtí) agus níor cheart do lucht aistriúcháin a bheith ann dáiríre. Tuigtear anois, áfach, go bhfuil an t-aistriúchán deacair, b'fhéidir dodhéanta fós, ach go bhfuil sé dosheachanta.

Cad chuige ar ceapadh go raibh an t-aistriúchán dodhéanta nuair a bhí sé á dhéanamh riamh anall. An mana Iodálach *traduttore traditore* a thugann an míniúchán: ní fhéadfaí aon mhuinín a chur in aistriúchán. In ionad an buntéacs a thiontú go dílis, feall a bhí á dhéanamh ag an aistritheoir. Bhí an cáineadh céanna déanta ag Joachim du Bellay sa Fhrainc sa séú haois déag. Níor thuill aon duine an teideal 'feallaire', dar leis, mar a thuill an t-aistritheoir é. B'éigean don aistritheoir go minic a shéala féin a chur ar an téacs toisc nár tuigeadh dó i gceart na tagairtí nó na téarmaí a bhí sa bhuntéacs. B'iomaí léamh agus léirléamh a rinne an t-aistritheoir nach raibh cruinn ceart, b'iomaí forléiriú míthreorach a thug sé do théacs nár thuig sé. Bhí sé ag plé le haois nó le tír nó le cultúr nach raibh ach smeareolas aige orthu. Rinneadh an chiall a fhiaradh go minic agus níorbh fhada go raibh glúin nua ag caitheamh anuas ar an aistriúchán. Ní mór na seanaistriúcháin féin a thug léargas dúinn ar a chéaduair ar litríochtaí eile a athbhreithniú de shíor toisc go bhfuil feabhas agus forás ag teacht ar cheird an aistriúcháin agus ar ghéarchúis an aistritheora. B'fhiú mar sin amharc arís ar na saothair a rinne an Gúm chun a seasamh mar aistriúcháin a mheas agus chun léargas éigin a fháil ar an tuiscint a bhí ag na haistritheoirí sin ar a gceird, dá ndeoin nó dá n-ainneoin.

Ní bheidh ré na n-earráidí thart choíche maidir le cúrsaí aistriúcháin ach is earráidí nua atá ag teacht chun cinn an t-am ar fad. Tá an gearán céanna le cloisteáil i ndomhan na sícanailíse sa Fhrainc maidir leis na haistriúcháin a rinneadh ar shaothar Freud ag tús an chéid. Tharla réabhlóid téarmaíochta i measc lucht na sícanailíse nuair a foilsíodh *Vocabulaire de la psychanalyse* (feic Ladmiral, 1994: 250-6) i 1968. Níor leor an focal coibhéiseach a shuíomh idir an Fhraincis agus an Ghearmáinis. Má tá an téarma céanna á úsáid i dteangacha éagsúla le fada an lá, níl fadhb ann. Ach saothar ceannródaí amhail Freud atá ag iarraidh réimsí nua eolais agus fionnachtana a oscailt, is doiligh téarma coibhéiseach a aimsiú. I gcomhthéacs mar seo, ní thig leis an aistritheoir a bheith ar a chonlán féin. Nuair a rinneadh comparáid idir téacs de chuid Freud sa Bhéarla agus sa Fhraincis fuarthas amach nach raibh focail ann sa Fhraincis chun bunmhachnamh Freud a aistriú go hiomlán.

Fuarthas amach go raibh *triebe* á aistriú mar *instinct* nuair ba *pulsion* a bhí i gceist. Is beag difear a fheiceann an gnáthdhuine idir *instinn* agus *tiomáinteas* (an focal in FF ar 'impulse', cé gur *impulsion* an Fhraincis a thugtar). Baineann cuid den fhadhb anseo le hidirdhealú a dhéantar sa Fhraincis idir *dénotation* agus *connotation*.

Is fiú féachaint leis an dá théarma sin a aistriú go Gaeilge; seo mar a bhí in EID: 'connotation': *ciall, sanas*; agus in FS: *fochiall, seach-chiall;* maidir le 'denotation', in EID tá: *brí, sanas, sínteacht*; is amhlaidh atá in FF. Bíodh is gur seantéarmaí iad araon sa loighic scolaíoch, níl tagairt do 'connotation' in FF agus is seach-chiall de 'denotation' atá i gceist, agus deir FGB go gciallaíonn *fochiall* 'secondary meaning' agus níl tagairt ar bith do *seach-chiall*. Is léir go mbeidh mórfhadhb ag an aistritheoir go Gaeilge leis na coincheapa seo. Níl anseo ach sampla den chriathrú teanga agus foclóra nach mór don aistritheoir a dhéanamh chun an téarma beacht a aimsiú.

I gcás sraith focal mar *capall, each, gearrán* nó *fostóir, saoiste, ceann roinne*, tá an chiall chéanna acu uile, comharthaíonn siad an rud céanna, ach is soiléir go bhfuil seach-chiall nó fochiall ar leith ag gach ceann acu. Is léir nach bhfuil díreach an réim chéanna i gceist sna trí fhocal *disciplín, riailbhéas.* agus *smacht.* Deirtear go mbaineann 'denotation' leis an ngné aificseanach (FF, 'affective') den teanga agus 'connotation' leis an ngné intleachtúil den teanga. Is féidir leis an mBéarla dhá chiall dhifriúla a lonnú in 'fiddle' (an duine sa chúinne) agus 'violin' (an seinnteoir sa cheolfhoireann) nach dtig leis an nGaeilge, faoi mar a dhéanann an Fhrainicis idirdhealú idir *fleuve* agus *rivière* nach ndéanann an Ghaeilge ná an Béarla. Cad é mar a déarfaí sa Ghaeilge 'she wears the trousers and he plays the fiddle'?

Tá an t-idirdhealú chomh fíor céanna i gcás abairtí. Ní hionann 'the automobile is damaged' agus 'the jalopy is banjaxed'. Feic mar shampla an difear sa Bhéarla idir na trí abairtí seo a leanas: 'The consumption of any nutriments whatsoever is categorically prohibited in this establishment' atá ardnósach, bagrach, dlíthíoch féin i gcomparáid le, 'You are requested not to consume food in this establishment' atá i bhfad níos séimhe, atá ag iarraidh bheith áititheach ach atá pas beag foirmiúil fós, i gcomparáid le 'Please don't eat here'. Tá an teachtaireacht ar fad le fáil sa tríú ceann ach tá sraitheanna céille ar iarraidh ann. Tá *réim* (register) eile i gceist mar a deirtear sa cheol. Tugann gach ceann acu léargas ar mheon an té a scríobh iad agus ar a chuspóir; is scáthán iad freisin ar an tsochaí agus ar an bpobal ar de an scríbhneoir. Ní féidir leis an nGaeilge an eiseamláir sin a leanúint dá mba mhian léi.

Maidir leis an aistriúchán ar shaothar Freud bhí trí theanga le cur san áireamh. Má scríobh sé sa Ghearmáinis é, chuir an t-údar féin a ladar sa leagan Béarla sa mhéid sin gur glacadh leis mar théacs údarásach agus séala an údair air. Bhí ar an bhFraincis dhá 'bhunleagan' a thabhairt le chéile. Ní nach ionadh, is cosúil go mbeidh athbhreithniú buan ar siúl ina thaobh. Is fada fós an Fhraincis ó chóras coibhéiseach téarmaí a chur ar bun. Tá coimhlint ann faoinar chóir *angst* a aistriú le *angoisse* nó *peur* (tugtar *crá / angst / angoisse / anguish* in FF). Bhí deacrachtaí maidir le focail nach raibh teicniúil in aon chor. Tugadh *scientifique* ar *scholarly / wissenschaftlich*.

Léiríonn an sampla sin gur gá toradh an aistriúcháin, gach aistriúcháin, a athbhreithniú de shíor. Tharla an feiniméan céanna sna seascaidí maidir le haistriúcháin ar an mBíobla. Cuireadh Bíobla Iarúsailéim ar fáil sa Fhraincis ar bhonn na tuisceana nua don scrioptúr a lean ón taighde ar an mBíobla agus ón meon nua i leith an Bhíobla a taispeánadh sa Chomhairle Vatacánach. Rinneadh leagan Béarla ina dhiaidh sin agus, thart faoin am céanna, leasaíodh Bíobla Rí Shéamais (1611) nár athraíodh ach ar éigean ó leag William Tyndale a rian air. Ní mó ná sásta a bhí gach duine leis an leagan nua. Ba chuma leo faoi bheachtas agus faoi nua-aois na teanga. Bhí luach caillte acu mar bhí fiúntas an téacs le fáil sa teanga oiread agus a bhí sa teachtaireacht. Bhí macallaí agus cuimhní sa seanaistriúchán nár bhain le hábhar an Bhíobla ach a raibh a dtábhacht féin acu.

Déanann gach aistritheoir maith a shaothar a athbhreithniú arís agus arís eile go dtí go gcuirtear d'iallach air é a thabhairt suas. Agus ansin féin, ba bhinn leis caoi eile a fháil chun téarma nó abairt a athscrúdú. Léiríonn sé nach bhfuil an ceangal idir an 'rud' agus an 'téarma' socair go buan. Más ionann 'arán' agus 'bread', ní gá gurb ionann iad faoi gach gné. Is é an próiseas atá cosúil i ngach comhthéacs ach ní gá gurb ionann an cruth agus an blas agus an dath agus an boladh. Athraíonn an chiall ó aois go haois, ó ghlúin go glúin. Deir Mounin (1976: 65) go bhfuil caoga téarma ar a laghad i gceantar Aix-en-Provence chun *arán* a thuairisciú, gach ceann acu ag tuairisciú 'rud' eile, is é sin cineál eile aráin.

Tuigtear anois ní hamháin go bhfuil an t-aistriúchán riachtanach ach gur ceird idirnáisiúnta idirthuilleamaíoch é. Bhí idirlíon an aistriúcháin ann i bhfad sula raibh trácht ar bith ar an idirlíon féin. Tá *Index Translationum* á fhoilsiú ag UNESCO ó 1948 agus ó na caogaidí i leith tá stádas neamhspleách á éileamh don aistriúchán mar ábhar eolaíoch. Rúiseach darb ainm Fédorov a shainigh oibríocht an aistriúcháin mar dhisciplín ar leith, a mhaígh gur oibríocht teangeolaíoch é agus gur cheart an t-aistriúchán a lonnú mar ábhar staidéir ina chuid dhílis den teangeolaíocht. Ní raibh gach aistritheoir ar aon aigne faoin gceangal leis an teangeolaíocht; ba léir mar shampla nach bhféadfaí an t-aistriúchán liteartha a cheagal leis an teangeolaíocht ach leis an litríocht.

Ach bhí an díospóireacht tosaithe agus tá sí faoi lán seoil ó shin. Nuair a d'aontaigh Éire don Chomhphobal i 1973, bhí 80,000 iris eolaíoch á n-aistriú in aghaidh na bliana. Ba léir ansin go raibh gá le téarmaíocht chomhchoiteann agus le caighdeán náisiúnta agus idirnáisiúnta téarmaíochta. D'eascair eolaíocht nua as an tuiscint a bhí ann do thábhacht na téarmaíochta, an téarmeolaíocht. (Eagraíodh in Barcelona 7-18 Iúil 1997 an chéad scoil samhraidh ar an téarmeolaíocht). Déanann an téarmeolaíocht (mar a dhéanann an 'aistriúcheolaíocht' maidir leis an aistriúchán) feaslsúnacht agus prionsabail na téarmaíochta a oibriú amach, déanann sé deighilt idir an téarmaíocht agus an fhoclóireacht agus féachann sé le luach agus fiúntas agus mórthábhacht na téarmaíochta a bhunú. Tá dúshlán na téarm(eol)aíochta fós le tabhairt ag aistritheoirí na Gaeilge, d'ainneoin sháriarrachtaí an Choiste Téarmaíochta.

Is féidir trí chás a shamhlú sa Ghaeilge a bheag nó a mhór. Tá an t-ábhar a bhfuil eolas ag cách air; is ionann *fuinneog/sráid* agus *window/street*. Is coibhéis é sin a d'fhéadfadh a bheith iomlán agus is furasta na téarmaí coibhéiseacha céanna a fháil i ngach teanga ach amháin na teangacha nach bhfuil tuiscint acu do cad is *fuinneog/sráid* ann. Ansin tá na téarmaí a bhfuil amhras ann ina dtaobh sa Ghaeilge, toisc go raibh bunamhras ann ón tús agus toisc nár ghá d'aon scríbhneoir é a úsáid agus an choibhéis sa Ghaeilge a lorg. Tá dhá chuid sa roinn seo: na cinn a bhfuarthas réiteach orthu, amhail *poblacht, caighdeán* agus na cinn nach bhfuil réitithe fós (nach bhfuil le fáil in aon fhoclóir), amhail *self-determination, resistance, suicide bomber* nó a bhfuil na saineolaithe tar éis an dara téarma a cheapadh mar a raibh téarma maith cheana (is minic a athraíodh téarma toisc go raibh sé rófhada ón mBéarla: tugadh *tiomshaoitheacht* 'encyclopaedia', *snaidhmcheangal* 'covenant', *fréamhach* 'radical' in *Téarmaí Staire* a foilsíodh i 1924; agus tharla an t-athsmaoineamh seo go háirithe sna hearnálacha nach raibh an Ghaeilge á húsáid iontu, (e.g. an chuntasaíocht) nó toisc go bhfuil an Gaeilgeoir ar nós cuma liom faoin gcruinneas, amhail *the common good, implement(ation)*. Sa tríú roinn tá na focail a bhfuil ciall nua tagtha iontu nó tugtha dóibh sa saol tráchtála nó teilifíse nó atá nuachumtha ach atá i mbéal an phobail i ngach teanga ar fud an domhain: amhail *coimhdeacht* (subsidiarity) nó *dlúthpháirtíocht* (solidarity). Caithfidh an t-aistritheoir an téarma coibhéiseach a fháil amach agus a úsáid i gcónaí. Ní hamháin nach bhféachann scríbhneoirí Gaeilge leis an téarma cruinn atá in úsáid a fháil amach, ach is fearr leo téarma nua gan chiall a chumadh, amhail *fuinsean* (*feidhm*) nó *priaracht* (*tosaíocht*) nó *gaingstirí* (*bithiúnaigh*) a chuireann leis an meascán mearaí, agus a chuireann freisin le héidreoir na Gaeilge agus le falsacht lucht a scríofa. Ar ndóigh, caithfimid a bheith cúramach i dtaobh cuid de na focail 'nua' seo; tá *siorcamstaintí* (*imthosca*), mar shampla, ann ón seachtú haois déag.

Tá an iliomad iarrachtaí ar siúl le tríocha bliain anuas chun comharthaí sóirt cheird an aistriúcháin a scagadh agus a mhíniú. Faightear léiriú ar an gceird sa tsíctheangeolaíocht, sa tsochtheangeolaíocht (a dhéanann staidéar ar na réimeanna éagsúla teanga sa tsochaí), sa tsíceolaíocht imfhiosach (cognitive), sa chomhartheolaíocht (semiotics), sa tsícanailís a oiread agus a fhaightear sa tséimeantaic agus sa taighde ar thaithí an aistriúcháin.

Féachtar freisin le tuiscint a fháil ar an gceird trí mheon agus cur chuige an aistritheora a iniúchadh. Amharctar ar an nasc idir modh oibre an aistritheora agus an dearcadh atá aige ar mhodhanna eile scríbhneoireachta agus go háirithe ar an gciall atá aige do chuspóir an tsaothair.

Ní dhearnadh an tséimeantaic a chriathrú i gceart go dtí le déanaí agus níor tugadh faoi shéimeantaic na Gaeilge a chriathrú riamh chun na teorainneacha séimeantacha a shainiú. Déantar idirdhealú idir tuairisc shéimeantach ar chomhartha agus an tuairisc thagrach ar an gcomhartha céanna. Ina dhiaidh sin déantar iad araon a idirdhealú ón tuairisc ghramadúil. Ciallaíonn an chaint seo ar fad gurb ionann *fuinneog/sráid* agus *window/street* mar thuairisc shéimeantach amháin. Ní hionann iad go gramadúil agus ní fios cá bhfuil teorainn leis na tagairtí a mhúsclaítear. Clúdaíonn an tuairisc shéimeantach cás na gcomhchiallach amháin *deartháir / frère / brother / broer*. Ós rud é gurb annamh a bhíonn aon chosúlacht ghramadúil ann in aon chor idir na comhchiallaigh, is léir nach leor anailís theangeolaíoch a dhéanamh.

Cad é mar a tharlaíonn an fás sin in intinn an duine ar íogaireacht na téarmaíochta sa ghnáthshaol agus ar an difear idir an chiall agus an fhochiall. Tóg, mar shampla, gasúr deich mbliana d'aois atá ina chónaí faoin tuath. Is eol dó go dtig leis aon rud atá ag fás a thuairsciú mar *féar* nó *coirce*. Mura *féar* é is *coirce* agus a mhalairt. Má éiríonn leis ar ball idirdhealú idir *coirce* agus *cruithneacht* ar an dias, tuigfidh sé go bhfuil diasa éagsúla ann agus feicfidh sé ansin an *eorna* agus an *seagal* agus an *t-arbhar* nach ionann agus *féar* iad toisc go bhfuil dias ar leith ach nach ionann agus a chéile iad ar an ábhar céanna. In ionad bunidirdhealú idir *féar* agus *coirce*, tá córas foclóra aige a bhfuil cúig théarma dhifriúla ann, atá idirthuilleamaíoch agus neamh-thuilleamaíoch ar aon uain. Toisc gur faoin tuath atá sé, beidh na cúig cinn de dhíth air. Ní bheidh eolas ag a mhacasamhail sa chathair orthu ná aon ghá aige leo. Clisfidh ar an mac ón gcathair na cúig cinn a idirdhealú toisc nach bhfuil taithí aige orthu. Ach téann an córas chun castachta. Fásann an gasúr suas agus téann sé i mbun na hagranamaíochta. Ní leor níos mó an bunidirdhealú; déantar an gréasán eolais a dhoimhniú agus a fhairsingiú. Ní *féar* atá ann anois ach *cuise leata* nó *cuise coille*; ní *féar boirne* é ach *spairtíneach aimrid*. In ionad an rangú ginearálta tá mionrangú a dhéanann idirdhealú ina gcuirtear cruth, dias, gas, fad, tiús, dath, suíomh san áireamh. An *féar* a d'aithin an gasúr tá sé fós ann, ach anois is eol dó é faoin iliomad speiceas agus faoin iliomad cineálacha. Tá an t-aonad séimeantach fós ann ach é iolraithe míle uair. Ní fiú don saineolaí a bheith ag tagairt do féar a fhásann ar sheanbhallaí más féar a fhásann mar fhiailí i mbarra arbhair atá i gceist (feic Ó Curraoin, 1991). Ní leor an t-aineolas má tá an gréasán séimeantach ann. Sa chomhthéacs teicniúil seans nach bhfuil ann ach an tuairisc shéimeantach amháin. Ar an drochuair ní mór aird a thabhairt sa Ghaeilge ar an tuairisc ghramadúil agus is minic nach féidir neamart a dhéanamh sa tuairisc thagrach.

Ar deireadh thiar, tá teoiric an aistriúcháin - toisc go bhfuil an t-aistriúchán bunaithe ar an gciall agus go bhfuil gach ceann de mhodhanna an aistriúcháin fite fuaite sa chiall - ar a seandícheall chun aontacht sa chiall a lorg agus a aimsiú. Ach is beag an cuidiú don aistritheoir an teoiric agus é i mbun aistriúchán a dhéanamh. Mar sin féin caithfidh sé cuimhneamh go bhfuil teoiricí ann. Agus tá bunteoiric nach féidir leis dearmad a dhéanamh uirthi: nach mór don aistritheoir ciall an téacs atá á aistriú aige a thuiscint go hiomlán fad a bhaineann le gach tuairisc atá le fáil ann idir shéimeantach, thagrach agus ghramadúil. Tugann an teoiric léargas dó ar an gcaidreamh idir an machnamh agus an chiall, idir an t-iompar agus an teanga. Cuireann sí ar a shúile dó a ghéarchúisí is gá a bheith chun sruthanna uile an téacs a bhreith san aistriúchán.

Ní mór do gach aistritheoir a chóras oibre féin a cheapadh, a chóras teoiriciúil féin a thógáil. Caithfidh sé modhanna iomchuí aistriúcháin (agus teanga, i gcás na Gaeilge) a oibriú amach dó féin a d'oirfeadh do raon leathan téacsanna. Agus caithfidh sé (go háirithe i gcás na Gaeilge) an t-eolas atá aige ar acmhainní na sprioctheanga a chur i bhfeabhas gan staonadh. Mura bhfuil eolas cruinn aige ar chóras foclóra, gramadaí agus urlabhraíochta na Gaeilge, beidh sé dian air téacs sothuigthe, nádúrtha a chur ar fáil. (Tá sé intuigthe go bhfuil an t-eolas grinn céanna aige sa bhunteanga). Caithfidh sé téacs a thiontú ón mbunteanga go dtí an sprioctheanga sa tsúil go rachaidh an t-aistriúchán i gcion ar an léitheoir sa sprioctheanga mar a chuaigh an buntéacs i gcion ar an léitheoir sa bhunteanga. Is léir go bhfuil tuiscint do chuspóirí an údair chomh tábhachtach céanna le tuiscint do chumas an léitheora. Níl cead aige níos mó a rá ná mar atá ráite ag an údar ach caithfidh sé gach a bhfuil ráite ag an údar a aistriú, gach fo-ghné de gach seachghné de gach gné d'intinn an údair a chur in iúl ionas gur féidir leis an dea-léitheoir sa sprioctheanga an teachtaireacht chéanna, gona míneadas agus a fochialla agus a réimeanna éagsúla, agus a fhaigheann an dea-léitheoir sa bhunteanga.

Dá mbeadh iriseoir i bPáras agus iriseoir i mBaile Átha Cliath ar tí scéal a scríobh faoin eachtra chéanna; dá mbeidís ar aon aigne faoi gach gné de, rún acu na focail chéanna a úsáid, na smaointe céanna a chumadh sa fhriotal céanna agus nach raibh de dheighilt eatarthu ach an teanga; is é gnó an aistriúcháin an deighilt sin idir an dá theanga a chealú. Mar a dúirt Seosamh Mac Grianna (Mac Congáil, 1977: 61):

> Dá suífeá síos agus leabhar Béarla nó Fraincise a léamh agus machnamh i d'aigne féin agus i do chroí air agus é a scríobh i nGaeilge sa dóigh, dar leat, ab fhearr a dtuigfeadh an Gael a dheis cainte agus a smaoineamh agus a theas [*sic*], dhéanfá aistriú maith.

Is ag an gciall atá an forlámhas. Is ionann sin is a rá de ghnáth go ndéanann an t-aistritheoir an téacs a chíoradh chun gach ciall, follasach nó ceilte, sa bhuntéacs a aimsiú agus go bhféachann sé ansin le gach ciall acu a chur ar aghaidh chuig an léitheoir sa dóigh go dtuigtear dó iad ina theanga féin. Ach tá ciall eile riachtanach sa Ghaeilge.

Ní fiú a shamhlú gurb ionann téacs Gaeilge a chur ar fáil agus téacs ciallmhar a chur ar fáil. Caithfidh an Ghaeilge ach go háirithe a bheith ciallmhar, sothuigthe, inchiallaithe. Aon athbhrí nó amhras atá san aistriúchán nach mbaineann le hintinn an údair sa bhunteanga, is earráid, botún nó máchail ar an aistriúchán é. Ní leor ná ní fiú a rá gur leanadh rialacha na gramadaí má cailleadh an chiall. Pléifear an cheist seo a thuilleadh i gCaibidil 7.

Nuair a bhíonn an t-aistritheoir i mbun oibre, bíonn dhá chuspóir ar a iúl aige de shíor; bíonn leathshúil ag faire ar thoil an údair agus leathshúil eile dírithe ar thuiscint an léitheora. Agus tuigtear dó nach téacs lom amháin atá le haistriú aige, nach bhfuil gach téacs ina fhógra oifigiúil, ach go bhfuil giúmar agus mothúcháin agus mífhoighne agus íogaireacht agus caolchúis le haistriú freisin. Ní mór do na haistritheoirí go Gaeilge súil a choimeád ar a chéile chun go n-éireodh leo le chéile bunachar daingean a chur faoi chaolchúis na teanga. Ní hacmhainn don Ghaeilge mar atá sí faoi láthair an ceangal cuimsitheach seo idir an t-údar sa bhunteanga agus an léitheoir sa spriocthteanga a chur i gcrích. Mhaífí gurb acmhainn don Ghaeilge ach nach acmhainn do gach Gaeilgeoir, ach sin ceist eile. Is faoi threoir na n-aistritheoirí a chuirfear fuinneamh nua agus aontacht agus comhchuibheas sa teanga agus a dhéanfar í a athnuachan agus a thabhairt i dtreo na foirfeachta.

An Gaeilgeoir

Tharla an t-athrú céanna i gcás an fhocail *Gaeilgeoir*, óir deir Pádraig Ua Maoileoin gurbh ionann é tráth agus 'duine atá ag foghlaim na Gaeilge'; chiallaigh *Gaeilgeoir* 'duine nach raibh an Ghaeilge i gceart aige'. B'fhéidir gur mar sin atá sé arís.

Is cuid de chomharchumann gach saothar aistriúcháin a dhéantar go Gaeilge. Níl an t-aistritheoir ina thúr aonair. Tuigtear go bhfuil sé ag brath ar an gcéad dul síos ar an scríbhneoir a chuir an téacs ar fáil; ansin tá sé ag brath ar an téarmeolaí a thugann treoir agus comhairle dó ar na téarmaí aduaine nó teicniúla (agus tá fás as cuimse faoin téarmaíocht i ngach teanga); ina dhiaidh sin tugtar caoi don dara duine an téacs a athléamh ar mhaithe lena athbhreithniú, lena cheartú más gá, le ceisteanna a chur, agus ansin tá an custaiméir nó an léitheoir. Is é gairm an aistritheora a bheith i gceannas ar an gcomhar seo. Ach eisean amháin atá freagrach as an téacs deiridh.

I gcás na Gaeilge, is comharchumann ar leibhéal eile é an t-aistriúchán. Ní leor aird a thabhairt ar na spriocanna céanna atá le cur san áireamh ag gach aistritheoir, caithfidh an t-aistritheoir a thuiscint gurb eisean agus a chomhghleacaithe a chinnfidh aird na Gaeilge feasta. Is iad a stiúróidh go dtí an tsoiléireacht agus an chinnteacht agus an neamhspleáchas agus an fhéinmhuinín agus an féinmheas, óir is faoina stiúir siúd a aimseofar arís ciall na teanga. Sin an fáth nach mór do gach aistritheoir nach bhfuil an Ghaeilge ón gcliabhán aige é féin a thumadh sa teanga ní hamháin chun eolas a chur ar shaibhreas na teanga ach chun eolas a fháil ar na bearnaí sa teanga agus chun a chiall do rithimí na Gaeilge a ghéarú.

Tá ceithre leibhéal cumais de dhíth ar an aistritheoir mar sin. Ar leibhéal na heolaíochta, caithfidh sé fíricí an téacs a sheiceáil chun nach gcuirtear aon fhíric i gcion ar an léitheoir atá bunoscionn leis an bhfírinne; tá ceardaíocht i gceist freisin óir ní mór dó na focail iomchuí agus an cleachtas beacht a leanúint; is ealaín é an t-aistriúchán freisin óir ní mhaithfear don aistritheoir nach bhfuil ciall aige don difear idir droch-Ghaeilge agus dea-Ghaeilge; agus sa cheathrú háit, cuireann an t-aistritheoir a shéala pearsanta ar an téacs.

Is féidir praiseach a dhéanamh den obair ag aon cheann de na leibhéil sin nó ag gach leibhéal. Mura bhfuil amhras ar an obair ach ag an gceathrú leibhéal, is féidir gur roghanna pearsanta atá freagrach. Ach feictear earráid/botún ag gach leibhéal. Is féidir le doiléire agus débhríocht a theacht ón bhfoclóir nó ón ngramadach. Ar an gcéad leibhéal is earráid é an téarma contráilte a úsáid nuair atá téarma coibhéiseach ann, nó gan an téarma céanna a úsáid tríd síos (*fairsingiú*, *leathnú*, *méadú* as a chéile, nuair atá 'extension' sa chiall chéanna tríd síos), nó leaganacha éagsúla de litriú an fhocail (*comhairleach*, *comhairliúcháin*, *comhairlitheach*). Ag an dara leibhéal is féidir míthuiscint téarmaíochta a bheith ann bíodh sí ina míthuiscint shuarach (*sonrach* 'specific' in ionad *sonraithe* 'specified') nó ina mhíthuiscint bhunúsach (*soláthair* in ionad *foráil*, *beartas* in ionad *polasaí* nó a mhalairt). Ag an tríú leibhéal tá an mháistreacht ar an nGaeilge an-tábhachtach. Agus braitheann an díobháil a leanann ón earráid ar chineál na hearráide. Más drochlitriú atá ann, *scaranna* in ionad *scaireanna*, is beag an dochar (ach amháin i gcáipéis dlí). Níl athrú ar an gciall. Leanann míthuiscint go minic ón ngramadach a úsáid go neamhchúramach (ach is mórfhadhb na Gaeilge féin atá le fuascailt anseo: feic in FGB mar shampla *an ghráin mhorgtha*) nó san abairt *tá tacaíocht bhunús an phobail againn, agus bunús na bpolaiteoirí féin*; tugann an neamhshéimhiú ar an dara *bunús* le tuiscint nach bhfuil sé faoi réir tacaíocht. Ach is múnla Béarla atá ann agus níl gramadach na Gaeilge in inmhe chuige. B'fhearr i bhfad agus ba shoiléire: *tá tacaíocht againn ó bhunús an phobail agus ó bhunús na bpolaiteoirí féin*, nó *tugann bunús an phobail agus bunús na bpolaiteoirí féin tacaíocht dúinn*. Ní gá a rá nach mbaineann an ceathrú leibhéal le hábhar ach amháin má tá gach cuid eile den aistriúchán gan teimheal.

Tugann teoiric an aistriúcháin creat don aistritheoir. Taispeánann sé dó cad é an modh oibre is fearr a d'oirfeadh do théacs ar leith. Léiríonn sí dó na bunphrionsabail, na treoirlínte ginearálta agus na constaicí atá le seachaint nó le sárú. Tá sí dírithe freisin ar na mionphointí, an phoncaíocht, na botúin chló, a oiread agus ar an iomlán. Cuirtear ar a shúile don aistritheoir nach mór dó gach rogha atá aige a mhiondealú agus a iniúchadh, gach gné den cheist a chriathrú sula gcinnfidh sé ar an réiteach deiridh, agus ina dhiaidh sin uile gur lú i bhfad luach an tsaothair má ta sé breac le botúin chló nó drochlitriú.

Tá gach ábhar faoin ngrian á aistriú anois. Ní fhéadfadh áisíneacht nó gréasán idirnáisiúnta nuachtán maireachtáil ar fud na cruinne gan aistriúchán. Tá gach córas bolscaireachta ag brath ar an aistriúchán freisin. Ní bhíonn rath ar an iarracht aistriúcháin i gcónaí. In *The Irish Times* (27.5.1997) dúradh, ag tagairt don olltoghchán sa Fhrainc 'that a new leader was needed to "animate" the new team', aistriúchán lom litriúil ón bhFraincis. I gcomhthéacs na turasóireachta ginearálta, ní mór oidis dochtúra a aistriú go minic ar na saolta seo. Is sráidbhaile mór é an domhan agus tá súil ag cách go bhfaighidh sé macalla éigin dá mháthairtheanga is cuma cén cearn den domhan ina bhfuil sé.

Ach is í an bhunsprioc atá ag teoiric an aistriúcháin dul i gcion ar mhodhanna machnaimh an aistritheora. Bíodh sé mar bhunriail aige mar sin dianmhachnamh a dhéanamh ar an téacs ag gach céim den turas: dianmhachnamh ag an tús chun éirim agus luach an téacs a mheas; dianmhachnamh tríd síos le fanacht ar an airdeall don ghné nár thug sé faoi deara ag an tús; agus dianmhachnamh ag an deireadh chun a chinntiú gur aonad aontachta agus céille atá curtha ar fáil aige a léiríonn chomh dílis agus is féidir toil an údair, chun na mionbhotúin agus an easpa leanúnachais agus comhchuibhis a cheartú agus chun an dlaoi mhullaigh a chur ar an saothar. Ní gá a rá go bhfuil athbhrí fite fuaite san fhocal 'dílis' féin, óir ní deirtear an gá a bheith dílis do 'focail' nó do 'cuspóir' an údair.

Ní thig leis an teoiric dea-bhail agus slacht a chur ar an aistritheoir, a intleacht agus a íogaireacht a ghéarú mura bhfuil siad ann cheana. Is ionann agus aisteoir an t-aistritheoir. Is féidir leis an teoiric an bunmhianach a chothú agus a neartú ach ní thig léi a ionad a ghlacadh. Taispeánann an teoiric don aistritheoir cad is féidir a dhéanamh ach modhanna áirithe a úsáid. Cuidíonn sí leis ar bhealach praiticiúil an t-aistriúchán is fearr is féidir a dhéanamh. Is mithid anois cuid de na modhanna aistriúcháin sin a scagadh.

Ábhar machnaimh.

• Cad é mar is féidir an leithcheal a rinneadh ar ghairm an aistriúcháin a mhíniú?

• An gairm í dáiríre gairm an aistriúcháin agus más ea, cad iad na bealaí inar féidir dlús a chur leis an ngairm sin agus feabhas a chur ar obair an aistriúcháin?

• Arbh fhiú iarracht a thabhairt córas coibhéiseach a oibriú amach idir an Ghaeilge agus teangacha eile, go háirithe an Béarla, chun an oiread réimsí comhionannais agus comhchéille agus is féidir atá eatarthu a shuíomh?

Foinsí eolais:

Dodds, John M. *The Theory and Practice of Text Analysis and Translation Criticism*, Londain, 1985

Ladmiral, Jean-René *Traduire: théorèmes pour la traduition*, Páras, 1994.

Mac Congáil, Nollaig eag. *Saothar Sheasaimh Mhic Grianna Cuid a Dó: Ailt*, Béal Feirste, 1977.

Mounin, Georges *Les problèmes théoriques de la traduction*, Páras, 1976.

Newmark, Peter *Approaches to Translation*, Londain, 1982.

Newmark, Peter *A Textbook of Translation*, Londain, 1995.

Ó Curraoin, P.L. *Féara agus Bánta Éireann*, BÁC, 1991.

Vinay et *Darbelnet Stylistique Comparée du Français et de l'Anglais*, Páras, 1965.

Caibidil 3
Modhanna Aistriúcháin

Nuair atá deireadh le teoiric, ní mór tabhairt faoin aistriúchán. Is cuma má thugtar ciall nó fochiall nó seach-chiall ar eithne an téacs, is é gnó an aistritheora é a aistriú. Agus sin mar a rinneadh é nuair nach raibh trácht ar bith ar theoiric an aistriúcháin. Cuireann an teoiric ar ár súile dúinn nach mór aird a thabhairt ar na gnéithe 'dodhéanta' den aistriúchán chun iad a chur in iúl oiread agus is féidir don léitheoir. Déanann an teoiric deacrachtaí an aistriúcháin a rangú agus a shoiléiriú; déanann sí coincheapa astu chun gur féidir an loighic atá taobh thiar den chinneadh a thabhairt chun solais.

Is é príomhchuspóir an aistriúcháin téacs an údair sa bhunteanga a chur ar fáil don léitheoir sa sprioctheanga ionas nach gá dó an buntéacs féin a léamh ach go bhfuil teachtaireacht an údair faighte aige amhail is dá mbeadh sé léite aige sa bhunteanga féin. Is doiligh gan cuid éigin de mheon an údair a chailliúint. Féachfaidh an t-aistritheoir chuige mar sin nach dtéann amú de chuspóir an údair ach an fíorbheagán.

Ní mór tosú leis an téacs mar atá sé. Faightear an blas ginearálta ach an téacs ina iomláine a léamh i dtosach báire, agus ansin léann an t-aistritheoir an téacs focal ar fhocal, líne ar líne, chun a bheith cinnte go bhfuil brí gach focail aimsithe go glé aige. Tugann an léamh ginearálta leid ar chastacht na teanga, ar dhoimhneacht na smaointe agus ar an aird is gá a thabhairt ar gach focal ar leith. Ní gá a rá gan amhras nár mhiste gach focal dothuigthe a cheadú san fhoclóir. Ina dhiaidh sin ní mór a chinneadh cén chiall ar leith a ghabhann leis an bhfocal ar leith sin. Is léir le tamall go bhfuil boladh na seanaoise ar EID mar fhoclóir don aois seo. Is fearr FP nó FSc a cheadú i dtosach chun an buntéarma Gaeilge is nua-aoisí a fháil agus ciall na Gaeilge a sheiceáil ansin in FGB agus FBg. Ach is é EID an foclóir Béarla-Gaeilge amháin atá againn agus is foclóir den scoth é fós ach é a úsáid go faichilleach. Ar ndóigh, níl againn fós an sás is bunúsaí - Foclóir Gaeilge-Gaeilge - a thabharfadh brí an fhocail agus comhthéacs a úsáide.

Dúirt Gerard Hopkins, aistritheoir:
Translation is more than the provision of equivalents for words, sentences and ways of thought. It is to be engaged in a prolonged and acceptable lie. every language has a movement and tune of its own, and to be tone-deaf is as fatal for the translator as for the music critic.

Is é an chontúirt is mó ar an gcéad léamh na comhainmneacha (feic thuas, 26) a bhfuil liacht ciall acu i mBéarla agus gan gaol ar bith eatarthu: 'bank', 'bat', 'bowl', 'conversion', 'establishment', 'provision', 'pupil', 'sole' nó na hilchiallaigh, nuair atá níos mó ná ciall amháin ag an bhfocal céanna ach go bhfuil gaol éigin eatarthu 'face', 'foot', 'head', 'run' agus ansin an corrfhocal a bhfuil tréithe comhainm agus ilchiallaigh ag gabháil leis 'close', 'register'. Tá tuiscint an-ghéar don Bhéarla fíorthábhachtach sna cásanna sin.

Is léir nach ionann 'floating' i ngach comhthéacs, nach ionann 'floating voter' (*vótálaí luaineach*, b'fhéidir; tugtar *daonra aistritheach* ar 'floating population' in EID ach is dócha gur 'daonra atá ag bogadh ó áit go chéile' atá i gceist, nó 'shifting' mar a thugtar ar *aistritheach* in FGB) agus 'floating platform', gan trácht ar 'floating policy', *beartas comhlúthach(ta)*, FSG, 'floating body' (ph.) *corp ar snámh* nó 'floating point', *snámhphointe* (FEol), 'floating address', *seoladh coibhneasta* (TR), 'floating coat' *cóta barrmhínithe*, 'floating floor' *urlár saor* (FCT) nó 'floating rib', *correasna* (FS). Tá *correasna* in FGB freisin cé go dtugtar *easna scaoilte* air in EID. Cérb as ar tháinig *comhlúthach*, agus cén fáth go gceanglaítear le *beartas* nó gníomh amháin é? Is ionann *cómhlúth* de réir an Duinnínigh agus 'gluaiseacht' nó 'iompar' agus ba amhlaidh a bhí in DIL: *comlúth*, 'setting in motion', agus in Vendryes. Is fiú a lua go raibh *muirear foluaineach* 'floating charge' in TD, TC agus i Reachtaíocht an Oireachtais, agus *sócmhainní reatha*, 'floating assets', in TC. Níl fasaigh na húsáide sin soiléir in aon chor. I Reachtaíocht an Oireachtais (8/81/16) tá *ábhar foluaineach nó ábhar a d'fhág an t-uisce ina dhiaidh* ar 'presence of floating or stranded material' cé go bhfuil *ábhair ar snámh do chur isteach ar longoibríocht*, 'interference from ship operations from floating materials' in 8/81/18, ach *suiteáil snámha*, 'floating installation' in 18/87/12, agus *ardán snámha*, 'floating platform' in 10/87/72. Dá ainneoin seo uile is cosúil go bhfuil *comhlúthach* á úsáid go coitianta anois sna hirisí ar 'floating' sa chomhthéacs eacnamaíoch agus airgeadais. Agus sa bhreis ar a bhfuil luaite thuas tá *snámhach* in FGB, agus 'floating', 'buoyant' mar leaganacha Béarla air. Is fiú a fhiafraí cen fáth na leaganancha uile nua seo a cheapadh nuair atá téarma ann cheana in FGB? An bhfuil oiread agus Gaeilgeoir amháin a thabharfadh 'floating' ar na téarmaí Gaeilge uile?

Léiríonn an sampla sin a dheacra atá gnó an aistritheora go Gaeilge agus léiríonn sé freisin an fhadcheannaí agus an stuaim is gá chun an bhunchiall cheart a aimsiú i mBéarla sula gceadaítear an foclóir in aon chor agus an tábhacht atá le smeareolas féin ar shanasaíocht na teanga.

Cad é mar is ceart tabhairt faoin aistriúchán mar sin? Ní raibh ach an t-aon rogha ann tráth, idir an t-aistriúchán litriúil agus an saoraistriúchán. (Chuathas chomh fada sin ón mbuntéacs sa saoraistriúchán, cuireadh cruth nua eile ar fad ar an ábhar gur ar éigean a d'fhéadfaí aistriúchán a thabhairt air in aon chor ach athinsint nó athleagan. Níl deireadh le ré an tsaoraistriúcháin fós ach feictear níos minice anois é lasmuigh de dhisciplín an aistriúcháin). Nuair a ceapadh go raibh téacs do-aistrithe sa mhéid nach bhféadfaí friotal cultúir amháin a atáirgeadh i bhfriotal cultúir eile, b'éigean aistriúchán litriúil a dhéanamh chun a bheith cinnte. Ní raibh d'aidhm ag an aistritheoir ach leagan sa sprioctheanga a sholáthar den téacs sa bhunteanga. Cloíodh go docht le hord na bhfocal, le réimeas na gramadaí, leis an bponcaíocht féin, díreach mar a bhí siad sa bhuntéacs. Níor tugadh aird ar chomhthéacs, ar chuspóir an údair agus ba chuma faoi éigiall an aistriúcháin. Cuireadh an bhéim ar an bhfoirm agus rinneadh neamhshuim sa chiall. Ní féidir le haistriúchán bheith rólitriúil ná róghar don bhuntéacs má tá an choibhéis chruinn ann idir an bhunteanga agus an sprioctheanga.

Cé nach n-oireann an cur chuige sin mar ghnáth-threoir don aistritheoir, is cinnte gur féidir earraíocht a bhaint as i gcásanna áirithe agus, mar a fheicfimid thíos sa chaibidil ar théacsanna dlí a aistriú, is fearr é mar chur chuige más ráiteas lom dlí atá le haistriú. Más lominsint atá san abairt, ar ndóigh, níl an dara rogha ag an aistritheoir. Ní féidir 'the top of the hill' a aistriú ach le *barr an chnoic*. Feictear sa bhunsampla sin difear idir an Béarla agus an Ghaeilge. Ní ceadmhach *an barr an chnoic* a rá cé gur ceadmhach *an barr sin an chnoic* a rá agus is féidir *an barr den chnoc* a rá.

Ach má chuirtear briathar leis an abairt, má deirtear: 'John is talking to his mother', ní féidir aistriúchán litriúil sothuigthe a dhéanamh toisc nach bhfuil an dá theanga ar aon dul le chéile i dtaca leis an ngramadach de. Agus tá mionfhadhb eile a bhaineann leis an réamhfhocal. Má deirtear 'tá Seán ag caint dá mháthair', níl ciall leis. Ní mór 'tá Seán ag caint lena mháthair' a rá. Ach mura bhfuil sé go hiomlán litriúil mar aistriúchán, is féidir a rá gur aistriúchán dílis é. Ciallaíonn sé sin nach ndéantar aon léirmhíniú ar an abairt, go n-aistrítear go litriúil í a mhéad is féidir de réir acmhainní na sprioctheanga. B'ionann an chiall dá ndéarfaí 'tá Seán ag labhairt lena mháthair' ach ní féidir 'Seán tá ag caint/labhairt lena mháthair'. Is aistriúchán dílis an dá cheann eile óir déanann siad an bhunabairt a aistriú chomh dílis agus is féidir laistigh de theorainneacha na Gaeilge. Is ionann an t-aistriúchán dílis agus an t-aistriúchán litriúil ach nach mór don aistriúchán dílis sainairíonna na sprioctheanga a chur i bhfeidhm ar an mbunteanga.

Is léir mar sin nach furasta an t-aistriúchán litriúil a dhéanamh idir an Béarla agus an Ghaeilge. Mar a dúirt Peadar Ó Laoghaire (feic Cronin, 1996: 146):

> It may be laid down as a general rule, such is the innate antagonism between the two languages in every phase, that so surely as a word is used figuratively in one it is certain to be taken literally in the other, and to express outrageous nonsense.

Más cinnte go bhfuil an bhreith sin i dtuilleamaí na hinstinne, is fiú a fhiafraí anois, an bhfuil sí fíor? (Tá saothar dar teideal *Creativity of Translators - The translation of Metaphorical Expressions in Non-literary Texts*, le Alicya Pisarska. Déantar mionscrúdú ann ar an dóigh inar aistríodh go Polainnis 120 meafar as saothair neamhliteartha Béarla. Fuarthas amach gur úsáideadh an íomhá chéanna i 60% de na cásanna, gur úsáideadh íomhá eile ar fad i 18% de na cásanna agus gur briseadh síos an meafar i 16% de na cásanna chun aistriúchán litriúil a dhéanamh. agus gur lean an chuid eile a sainbhealach féin. Tugann an anailís sin léargas ar an gceangal cultúrtha idir an dá theanga. B'fhiú mionscagadh mar sin a dhéanamh ar aistriúchán an

Ghúim agus ar phatrúin na teanga i gcoitinne). Mura bhfuil sí go hiomlán fíor, ní mór a bheith an-chúramach. An teist is fearr chun fiúntas an aistriúcháin litriúil a mheas, is ea an cheist a chur an bhfuil an téacs nádúrtha.

Ach chun tuiscint ar cad is teanga nádúrtha ann, ní mór an-eolas ar an teanga agus an-bhá léi. Ní leor an nádúrthacht amháin i gcónaí. Is féidir *Hauptverwaltung Aufklärung* a aistriú go litriúil mar *an Phríomhoifig Riaracháin um an Eagnaíocht* ('Chief Administration for Enlightenment'). Tá an leagan sin sásúil, go litriúil. Tá an fhochiall ar iarraidh. Is éard atá ann: an tseirbhís rúnda i bPoblacht Daonlathach na Gearmáine tráth.

Ní rachaidh an t-aistritheoir mórán ar seachrán má chloíonn sé leis an aistriúchán litriúil/dílis mar chéadchéim. Féach, mar shampla, ar an bhfoláireamh seo:

> No person shall disclose information available to him by virtue of functions conferred on him by the Act.

An gá 'disclose' a aistriú le *nocht* nó an leor *tabhair*? Cad é an focal ar 'information'? An gá *ar fáil* a rá nó an leor *atá aige*, an leor *tabhair* mar aistriúchán ar 'confer'. Ós rud é gur téacs dlí é is fearr: 'ní nochtfaidh aon duine faisnéis atá ar fáil dó de bhua na bhfeidhmeanna a thugtar dó san Acht seo', in ionad, 'ní thabharfaidh/scaoilfidh duine eolas atá aige toisc na bhfeidhmeanna a thugann an tAcht seo dó'.

D'fhéadfaí aistriúchán 'séimeantach' nó 'foirmiúil' a thabhairt ar an gcéad leagan óir féachann sé le húdarásacht an téacs a thiontú go dílis, agus aistriúchán 'cumarsáideach' nó 'neamhfhoirmiúil' ar an dara ceann sa mhéid go bhfuil sé dírithe níos mó ar thuiscint an léitheora.

Ina dhiaidh sin is uile, is fearr gan amharc ar an aistriúchán litriúil ach mar chéim sa réamhaistriúchán, chun ciall chruinn a fháil ar chuspóir an téacs agus ar chuspóir ginearálta an údair agus ní mar aistriúchán deiridh. Is é an chéim ina dhiaidh sin an t-aistriúchán séimeantach. Cuireann an t-aistritheoir a shéala féin ar an aistriúchán dílis ar mhaithe lena thuiscint féin. B'fhéidir gurbh fhiú dó in amanna an buntéacs a athscríobh más gá chun go dtig leis an téacs is soiléire a chur i láthair an léitheora. Ní mór in amanna, mura ndíríonn an t-aistriúchán litriúil/dílis an aird ach ar an mbuntéacs amháin, amharc ar aghaidh chuig sainriachtanais an léitheora agus ar riachtanais na sprioctheanga féin. (Is léir arís go bhfuil fadhb de shaghas eile ag an aistritheoir go Gaeilge nach bhfuil ag an ngnáthaistritheoir, gur fearr a thuigeann an léitheoir s'aige an buntéacs ná an spriocthéacs. Sin cúis eile chun ciall ghlé a tharraingt as.) B'fhéidir nach mbeidh an t-aistriúchán séimeantach chomh dílis céanna cé go bhfanann sé chomh cóngarach agus is féidir do struchtúir bhunaidh foclóra agus gramadaí, ach ba chóir go mbeadh aistriúchán níos barántúla ann dá bharr. Ní gá don aistritheoir bheith ag iarraidh dul i gcion ar an léitheoir ar a uain ach oiread.

Má thréigeann sé an dílseacht iomlán, cuireann sé cruthaitheacht an aistritheora ina háit. Tugtar tosaíocht dá iomas siúd chun an droichead cruinn ceart a thógáil idir intinn an údair agus riocht an léitheora. Ina ionad sin tá an t-aistriúchán cumarsáideach (communicative) atá ina chur chuige leath bealaigh idir an t-aistriúchán litriúil agus an t-aistriúchán foirmiúil.

De ghnáth is aistriúchán cumarsáideach a dhéantar ar an gcuid is mó de na téacsanna atá le haistriú, saothair agus ailt eolais, téacsleabhair, tuarascálacha, iriseoireacht, comhfhreagras, fógraíocht, bolscaireacht, ach i gcás na Gaeilge is aistriúchán séimeantach is gá óir is téacsanna údarásacha ar dhóigh amháin nó ar dhóigh eile atá le haistriú - téacsanna dlí den chuid is mó. Tá Newmark (1995: 47) den tuairim nach bhfuil ach an dá chineál sin ann, gur ealaín é an t-aistriúchán séimeantach (cuireann sé príomhaidhm-eanna an aistriúcháin i gcrích: é a bheith beacht agus barainneach, is é sin gan aon ghné den chiall a chailliúint agus gan aon fhocal sa bhreis a úsáid chuige sin, gan barr cleite isteach ná bun cleite amach) agus gur ceird é an t-aistriúchán cumarsáideach (cuireann sé an bhéim ar riachtanais an léitheora, óir is é an léitheoir slat tomhais an aistriúcháin sin). Ciallaíonn sé sin go n-imíonn an t-aistriúchán cumarsáideach níos mó ó ábhar agus ó chomharthaí sóirt na bunteanga chun an léitheoir sa sprioctheanga a chur go hiomlán ar a shuaimhneas.

Cuireann an dá chineál aistriúcháin chuige ar an dóigh chéanna maidir le cuid mhór de cheird an aistriúcháin: meafar, comhaonad (collocation), téarmaí teicniúla, béarlagair, focail atá i mbéal an phobail (vogue words), fógraí caighdeánacha, an ghnáth-theanga laethúil. Ach i dtaca leis an nGaeilge de, tá fadhb san aistriúchán cumarsáideach óir is ag nádúrthacht na teanga atá an forlámhas. Ciallaíonn sé sin go dtuigtear dó ciútaí na teanga. Níl rogha aige focal a aistriú ar aon bhealach eile seachas go litriúil má tá focal beacht sa sprioctheanga a fhreagraíonn don téarma sa bhunteanga. Amanna eile, áfach, ní gá an focal a aistriú sa sprioctheanga nó is gá abairt a úsáid chun an focal a aistriú.

Ach cén uair nach gá gach focal a aistriú? Tá an Béarla an-tugtha don éagsúlacht. Agus ní mór a rá go bhfuil acmhainn éagsúlachta as cuimse ann mar theanga. Ní gá timchaint an Bhéarla a leanúint go dílis i gcónaí, áfach. Ní mór smaoineamh ar an gciall. Bíonn trácht ar 'long-haul' agus 'long-distance', mar shampla. Tugtar *cianaistir* (TP, FSG) ar 'long-haul' agus ansin *carraeir cianaistir*. Sin an tús a bhí leis an téarma ach bíonn trácht anois ar 'long-haul journey' nach bhfuil ann ach *aistear fada*. Is amhlaidh leis an bhfocal *banaltra*. *Altra* an focal cruinn anois óir is ionann *banaltra* agus 'bean atá ina haltra'. Tarlaíonn athruithe ar théarmaí gan fhios dúinn. Is amhlaidh le 'long-distance', 'long-range'. Níl sna focail 'distance' agus 'haul' agus 'range' ach comhchiallaigh. In TP tá *cianiompar earraí* ar 'long-distance goods transport'. Is leor focal amháin *olannach* chun 'long-wool sheep' a aistriú cé go dtugtar *olannach fada* sa taobh Béarla-Gaeilge de FT. Léirítear fuinneamh na Gaeilge ar ndóigh sa téarmaíocht a bhaineann le saol na tuaithe. *Spád chosfhada* a thugtar ar 'long-handled spade' in FT, agus *greamaire socfhada* ar 'long nose pliers' in FCT.

Níl an teanga nó an CT chomh gonta sin i gcónaí áfach. Ní mór don Ghaeilge dul i muinín na timchainte. Tá sé suimiúil an dóigh a roinneann an Ghaeilge le 'long-line fishing', *iascaireacht le dorú fada*. In TP mar shampla, tugtar ar 'planning considerations', *cúrsaí le háireamh sa phleanáil* toisc go bhfuil sé an-deacair an focal 'consideration(s)' a aistriú go Gaeilge. San fhógra mar gheall ar fhiosrúchán Dunnes, (*Foinse*, 16.2.97) aistrítear 'the considerations, motives and circumstances therefor' le *na comaoineacha, na tucaidí agus na himthosca a bhí leo*, nuair nach bhfuil sé go hiomlán soiléir an *comaoin* sa chiall theicniúil atá le haistriú. Is minic a chuirtear réamhfhocal/briathar isteach sa Ghaeilge mar is léir ó na samplaí seo in FSG: *polasaí in aghaidh sceitheadh aisréadóra*, 'sprinkler leakage policy' (cuireann an réamhfhocal an bhéim ar an ngné dhiúltach; ní hamlaidh atá de ghnáth: *polasaí tionóisce pearsanta*, (personal accident policy), *polasaí riosca tógála*, (building risk policy) *nó scileanna i leith dearcaidh* (atttitude skills), *nó an chéad díbhinn eile a fhógraítear* (next declared dividend), nó in TP, *straitéis chun (talamh, etc) a fháil*, 'acquisition strategy', nó *cinneadh ar mhaoinfhorbairt*, 'property development decision', nó *forbairt ar bheartas sóisialta agus ar bhonneagar*, 'social policy and infrastructure development'. Ach cad é mar a aistrítear 'policy decision'? Déanann an t-aistriúchán cumarsáideach na céimeanna sin uile a chriathrú go mion chun teacht ar chiall an fhocail/na habairte agus, an ghné is tábhachtaí b'fhéidir, chun a chinntiú go bhfuil an chiall intuigthe chéanna fós sa leagan nua. Ach tríd is tríd, is ionann an dá chur chuige seo go háirithe nuair is téacs ginearálta atá le haistriú.

Cad é mar is eol don aistritheoir go bhfuil conair na críonnachta á leanúint aige, cad é mar is féidir leis dea-aistriúchán a mheas? Is é an beachtas an príomh-chritéar: cad é mar a éiríonn leis oiread agus is féidir ciall an bhuntéacs a chur i láthair. Ach cad é mar is féidir an beachtas a mheas? Tá dhá shlat tomhais is féidir a úsáid: tá prionsabal na comhéifeachta, 'equivalent effect', rud nach ionann ach oiread agus an chomhéifeacht i gcomhthéacs an Chomhphobail, mar a bhfuil tagairt do 'bearta/cánacha comhéifeachta'; agus an t-aistriúchán droim ar ais. Seachnaím an téarma *coibhéiseach* sa chomhthéacs seo óir tá sainchiall ag *coibhéis* agus *coibhéiseach* san aistriúchán i gcoitinne óir is focal teicniúil é faoi mar is focal teicniúil é freisin i gcomhthéacs an dlí. Ní hionann 'equivalence of legislation' agus 'uniformity of legislation', cé gurb ionann ciall do 'equivalent' agus 'uniform' go minic sa ghnáthchaint.

Is é is aidhm do **prionsabal na comhéifeachta**, aistriúchán a chur ar fáil arb ionann a éifeacht ar an léitheoir sa sprioctheanga agus an éifeacht atá ar an léitheoir sa bhunteanga. Is cinnte go bhfuil an prionsabal sin an-tábhachtach i dtír dhátheangach. Caithfidh gach saoránach an teachtaireacht chéanna maille le himpleachtaí (idir intleachtúil, bagrach, mothaitheach, cultúrtha, stairiúil) na teachtaireachta a fháil go huile agus go hiomlán.

B'fhiú an aidhm sin a bheith ar chúl a chinn ag gach Gaeilgeoir a dhéanann fógráin a aistriú. Murab é aidhm an fhógráin é a chur sa nuachtán le go mbeadh sé ann i dteanga seachas an Béarla, caithfear an t-eolas ceannann céanna a thabhairt sa leagan Gaeilge agus a thugtar sa leagan Béarla. Ní mór don Ghaeilgeoir deimhin a dhéanamh de go bhfuil na focail/téarmaí beachta á n-úsáid i gcónaí aige agus gurb ionann na focail/téarmaí sin agus na focail/téarmaí atá faofa agus i ngnáthúsáid ionas gurb é an scéala céanna a thuigtear sa dá theanga. Is iad an tsoiléireacht agus an tsimplíocht na cáilíochtaí is tábhachtaí chun prionsabal na comhéifeachta a chur i gcrích. I gcásanna áirithe ní mór an tosaíocht a thabhairt don ghné áititheach nó aificseanach nó mealltach thar an ghné fhaisnéiseach. Tá difear idir *cuir fios ar an sagart agus cuir fios ar an Athair Pádraig*. Is iad na focail atá le haistriú ach ní ceadmhach neamhshuim a dhéanamh den chomhthéacs. Ní féidir a bheith cinnte go bhfuil focal á úsáid mar is cóir dó a bheith; is é an comhthéacs a thugann an freagra.

Is fearr is féidir leis an aistriúchán cumarsáideach ná leis an aistriúchán séimeantach an chomhéifeacht a shroicheadh. Ar an léitheoir atá sé dírithe agus ar luachanna agus ar thuiscint agus ar chultúr an léitheora. I gcomhthéacs na Gaeilge, is i réimse na gnáthchainte a bheadh an deacracht is mó maidir leis an gcomhéifeacht.

Is teicníc í **an t-aistriúchán droim ar ais** a léiríonn beachtas an aistriúcháin i gcásanna áirithe. Tá sé an-úsáideach i dtaca leis an aistriúchán litriúil ach is lú a éifeacht leis an aistriúchán cumarsáideach. Is ionann an modh oibre ar bhealach agus malartú airgid. Má mhalairtítear punt minic go leor ní bheidh cianóg rua fágtha ag deireadh. Ach is áis eile é chun an téacs deiridh a rialú. Más léir nach féidir ciall an bhuntéacs a aimsiú ar chor ar bith sa spriocthéacs agus é aistrithe ar ais, is cinnte nár mhiste athbhreithniú mór a dhéanamh.

Caithfidh gach aistritheoir modh oibre de shaghas éigin a roghnú chun an bhunsprioc a shroicheadh. Is cinnte nár mhiste dó tabhairt faoin téacs a thuiscint ar an gcéad dul síos. Ní mór gach foclóir atá faoi fhad a láimhe a cheadú chuige sin. Ní féidir leis bealach na falsachta a leanúint agus buile faoi thuairim a thabhairt ar leithscéal nach bhfuil focal éigin le fáil áit ar bith. Murab eol dó go bhfuil *cearnóg*, 'stout woman' ann, tig leis *bean ramhar* a rá; murab eol dó go bhfolaíonn *drochéadáil* 'bad lot' an Bhéarla, ní fiú dó *drochlán* nó *drochlota* a chur nuair is léir gur cur síos ar dhuine atá ann. Nuair atá na focail go léir aimsithe aige agus é cinnte go bhfuil bunchiall éigin socraithe do gach ceann acu i gcomhthéacs an téacs atá idir lámha aige, is féidir ciall choitianta an téacs a dhaingniú ar bhonn na n-abairtí. Ní mór a chur san áireamh agus an abairt á haistriú go bhfuil aird tugtha ar gach focal. Má chuirtear neamhshuim i bhfocal amháin atá tábhachtach, rachaidh an chiall ó smacht.

Más féidir a rá de ghnáth go dtiocfar ar an téarma coibhéiseach ceart i bhfoclóir maith nuair nach bhfuil i gceist ach focal lom neamhchasta, ní mór a bheith anchúramach agus gan míchiall a bhaint as a bhfuil san fhoclóir. Tugann an foclóir teicniúil an téarma coibhéiseach teicniúil sa sprioctheanga ach toisc nach dtugtar comhthéacs de ghnáth agus toisc deacrachtaí eile a fheicfimid ar ball, ní mór FGB a cheadú, ach go faichilleach. Is é an deacracht is mó a bhaineann leis na foclóirí teicniúla i nGaeilge faoi láthair nach minic a thugtar comhthéacs seachas comhthéacs ginearálta ábhar an fhoclóra agus nach dtugtar aon treoir faoi cad é mar is fearr na rialacha gabhlánacha gramadaí a ghabhann leo a láimhseáil gan ceal a chur sa chiall.

Idir eatarthu tá na haonaid aduaine teanga sin nach dtugtar i gcónaí sna dea-fhoclóirí féin, atá leath bealaigh idir an meafar agus an abairt theicniúil, nó a úsáidtear go meafarach nó i gciall theicniúil as alt a chéile, agus atá fíorthábhachtach má tá mianach na bunteanga le tiontú go nádúrtha chuig an sprioctheanga. Is é atá sa chomhaonad (collocation) nó sa siontagma (syntagm), grúpa focal a théann le chéile sa teanga. Tá dhá fho-aonad ar a laghad sa chomhaonad nó sa siontagma agus tagann na fo-aonaid i ndiaidh a chéile. Tá gaolmhaireacht chinnte eatarthu agus ní féidir iad a dheighilt ó chéile gan an chiall a cheilt. Tá an siontagma gramadúil do-athraithe ann, *i ndiaidh a chéile* nó *bánú an lae* nó *an bheatha shíoraí*. Agus ansin tá na cinn a d'eascair thar na céadta as intinn agus dearcadh an duine ar an saol agus a bhfuil a gciall lonnaithe sa chaidreamh atá idir na fo-aonaid. D'fhéadaí a rá fúthu gur sean-nathanna gan mhaitheas iad, *ag barcadh allais*, nó seanfhocail *mar gach uile dhuine ag luí ar an lagar* nó *mhair sé an carr nua dom*. Is minic eolas áirithe ag daoine ar a leithéid. Is baolach go bhfuil an t-eolas orthu ag dul i laghad. Ach caithfidh an t-aistritheoir eolas a chur ar gach gné de fhriotal ársa na Gaeilge. Tuigtear sa chomhaonad 'to pay attention' nach bhfuil íocaíocht i gceist agus nach ionann 'attention' agus aon chineál airgid, agus nach *foráil* ná *soláthair* atá i gceist in 'to provide leadership'. Tá gach cineál comhaonaid nó siontagma ann: briathar + ainmfhocal, *óráid a thabhairt*, 'make a speech', aidiacht + ainmfhocal a ritheann le chéile go minic sa Ghaeilge, *dianriachtanas*, 'dire necessity', *dírshliocht*, 'lineal descendants', dobhriathar + aidiacht, *(go) damanta daor*, 'terribly dear', briathar + dobhriathar, *ag déanamh go maith*, 'feeling good', ainmfhocal + briathar, *déanann capall seitreach*, 'a horse neighs', dhá ainmfhocal le chéile, *grabhróg aráin*, 'crumb of bread', *beach mheala*, 'honey bee', dhá ainmfhocal agus aidiacht eatarthu, *foracan maith bia*, 'large helping of food', cnuasainm + ainmfhocal, *scaoth beach*, 'swarm of bees'.

Seasca bliain ó shin bhuail Stiofán Mac Éanna a mhéar ar an bhfadhb cheannann chéanna nuair a dúirt sé:

> Ba cheart dlí a bheith ann go mbeadh ar gach scríbhneoir Gaeilge é sin (*Foclóir Béarla agus Gaeilge/English-Irish Dictionary* le Lambert Mac Cionnaith) a léamh tríd síos fé dhó gach bliain. Ar gach leathanach dár iontaíos fuaireas rud éigin chomh Gaelach, chomh simplí, chomh soiléir agus, ina dhiaidh sin, chomh gonta gairid, chomh caoin-sainiúil sin go bhfíréanaítear an teanga láithreach bonn d'ainneoin a cuid seannósmhaireachta forimeallaí. Níl ach cúpla lá ó léas 'tá na scoileanna ag briseadh suas' agus i gceann uair a' chloig thánag ar 'tá an scoil ag scur' ag Lambert. Cé hé ná tuigfeadh, cé hé nárbh fearr leis, agus ina dhiadh sin, cé méid é scríobhfadh é? (Ó Rinn, 1939: 168)

Bhí drochmheas ar an bhfoclóir céanna a luaithe a foilsíodh é agus is doiligh cóip de a fháil inniu. Ach dearcann sé go háirithe ar an ngné sin den teanga, an abairt dhúchasach agus an meafar nádúrtha. Is minic is fearr leis an nGaeilgeoir/aistritheoir gan an focal cruinn a lorg nó a úsáid. Ach is é leas na Gaeilge a dhéanfar agus cuirfear le beachtas agus le líofacht an aistriúcháin má fhéachtar leis an bhfocal ceart nó an abairt cheart nó an comhaonad ceart a aimsiú. Tá dhá fhadhb nach mór a mheabhrú sna samplaí thuas: ní hionann dul na Gaeilge agus dul an Bhéarla i gcónaí agus ní hionann meon na Gaeilge agus meon an Bhéarla. Ní fhreagraíonn an dá theanga dá chéile. Is *faux amis*, 'cairde bréige' iad go minic. Smaoinigh ar abairtí Béarla mar 'do his nut' (*tá sé le craobhacha*), nó 'it serves him right' (*is beag an trua é*) ; ní hionann cur chuige na Gaeilge ar aon dóigh óir ní dhéantar 'do' ná 'serve' a aistriú. Caithfidh an t-aistritheoir na habairtí den sórt sin a aithint go fiú mura bhfuil siad chomh follasach agus atá siad sna samplaí sin, agus caithfidh sé an tsáinn a sheachaint. Ní mór iad a aistriú go litriúil go Béarla i dtús báire mura léir dó láithreach (an) abairt i nGaeilge is macalla dóibh. Tá sampla maith thíos (Caibidil 8) sa sliocht as an óráid a thug Jacques Poos nuair atá tagairt sa Fhraincis do 'leurs réflexions pourraient devenir le sel du sommet' agus sa Bhéarla 'their thoughts could fuel the think-tank of the summit'. Is cinnte nach n-amharcann an cruinniú mullaigh air féin mar 'think-tank', pé ar bith faoi 'sel'. D'fhéadfaí a rá mar sin go bhfuil 'think-tank' earráideach mar aistriúchán.

Is sa réimse seo den aistriúchán a fhaightear na deacrachtaí is dofhuascailte. Cad é mar is féidir meafar a cheapadh a fhreagraíonn go beacht don mheafar sa bhunteanga? Ní féidir ach dianmhachnamh a dhéanamh ar na habairtí coibhéiseacha atá ann agus iad a roinnt de réir éagsúlacht na gcomhaonad atá luaite thuas, nach féidir riamh a aistriú go litriúil agus nach bhfuil an dara rogha ann dáiríre ach dearbheolas a chur ar na habairtí sa dá theanga.

Ní hionann sin is a rá go bhfuil gach frása i mBéarla le haistriú amhail is dá mba chomhaonad nó siontagma é. Is é cúram an aistritheora an comhaonad fírinneach a idirdhealú ón abairt nach bhfuil inti ach drochúsáid an Bhéarla. Ní gá gach cuid d'abairt mar 'the question is under active consideration' a aistriú, *tá an cheist sin faoi bhreithniú gníomhach* óir níl aon bhrí le 'active' agus is leor mar aistriúchán *tá an cheist á bhreithniú*. Níl aon bhrí ach oiread le 'considerable' in abairt mar 'for a considerable time'. Níl aon bhrí ar leith ag gabháil le 'occasion' san abairt 'inconvenience occasioned' ná le 'character' san abairt 'an undertaking of a hazardous character'. Níl i gceist ach 'hazardous undertaking'. Ní gá 'after a careful reading' a aistriú focal ar fhocal go Gaeilge; b'fhearr i bhfad agus ba chruinne *tar éis a léamh go cúramach* a rá. Faightear an róchaint seo go minic i gcomhthéacs eacnamaíoch nuair a bhíonn an t-údar ag iarraidh a chaolchúis a thaispeáint: 'trade is conducted on a 100% re-export basis', abairt a chiallaíonn 'for re-export only': *le hathonnmhairiú amháin*. Cad is ciall le 'psychologically it was all over the place', 'no ill-advised counter-atrocity'? Is féidir leis an nGaeilge an smaoineamh taobh thiar den fhriotal sin a aistriú ach ní fiú tabhairt faoi de réir na bhfocal atá san abairt.

Sin an chúis atá leis an réamhaistriúchán. Tá an-tábhacht leis sin chun an bhunchiall sin a shuíomh. Tá an-tábhacht le dea-chiall sa chur chuige. Ca bhfuil ciall an Bhéarla; an ionann é agus míchiall sa Ghaeilge? Is comhréiteach é gach aistriúchán. Má éiríonn leis gach earráid a sheachaint, beidh leis. Má *tá beartas comhaontaithe*, 'agreed policy' in abairt amháin is doiligh *cur i bhfeidhm comhaontaithe idirnáisiúnta a fhionraí* a chur sa chéad abairt eile sa tsúil go dtuigfear 'to suspend the application of an international agreement' agus ní 'to suspend the agreed international application'. Éisteann an t-aistritheoir go Gaeilge lena théacs féin le cluasa an léitheora agus cíorann sé an teanga le dearcadh an neamhbhéarlóra. Ach ar deireadh thiar beidh rath ar an aistriúchán má tá eolas maith ag an aistritheoir ar a theanga féin, ar ábhar an aistriúcháin agus ar an sprioctheanga. Agus tá an-tábhacht leis an rud ar a dtugtar *rialú cáilíochta* in FSG. Sin an riail a ráthaíonn fiúntas an aistriúcháin. Níl aon aistriúchán muiníneach ina éagmais.

Ábhar machnaimh.

- Cad iad na cáilíochtaí is gá chun dea-aistriúchán a dhéanamh?

- Cad é an cur chuige is fearr chun tabhairt faoin aistriúchán?
- Dúirt Tomás Ó Floinn (1985: 57): 'Cad iad na fadhbanna teanga agus síceolaíochta a bhíonn ag duine ag iarraidh uirlis litríochta a dhéanamh as teanga (nach bhfuil ach díreach foghlamtha, nó atá fós á foghlaim) nach bhfreagraíonn don saol teangeolaíoch ina ndéanann an scríbhneoir a scéal nó a dhán a shuíomh? An féidir blas an aistriúcháin a sheachaint' An fearr nó an measa riocht an aistritheora?

Foinsí eolais

Gile, Daniel *Basic Concepts and Models for Interpreter and Translator Training*, Páras, 1996. (Benjamins Translation Library, 8.)

Kussmaul, Paul *Training the Translator*, Amsterdam, 1996. (Benjamins Translation Library, 10.)

Malone, Joseph L. *The Science of Linguistics in the Art of Translation*, Nua Eabhrac, 1988.

Newmark, Peter *A Textbook of Translation*, Londain, 1995.

Ó Floinn, Tomás *An Comhchaidreamh, Crann a Chraobhaigh*, BÁC, 1985.

Ó Rinn, Liam *Mo Chara Stiofán*, BÁC, 1939.

Pisarska, Alicya *Creativity of Translators - The translation of Metaphorical Expressions in Non-literary Texts*, Poznam, 1990.

Caibidil 4
Aistriúchán Teicniúil agus Téarmaíocht

Tá an forás atá tagtha ar an téarmaíocht le féiceáil sa dá shliocht seo ó Thomás de Bhaldraithe. Dúirt sé ag comhdháil de chuid an Chomhchaidrimh i mí Eanáir 1965 (feic tagairt dá chaint in *An tUltach*, Feabhra 1965, 12) go raibh ocht mbealach ann chun téarmaíocht a chur ar fáil sa Ghaeilge:

(1) seanfhocal a athbheochan gan an chiall a athrú, *tuiseal*;
(2) seanfhocal a athbheochan agus brí nua a thabhairt dó, *ara* (charioteer > chauffeur);
(3) leathnú brí a thabhairt d'fhocal atá sa chaint, *leadóg* (buille láimhe > 'tennis'), nó *lámha* (hands > handelbars);
(4) focal nua a chumadh ó fhocal a bhí ann, *toit* > *toitín* agus *guth* > *guthán*;
(5) focal a chumadh ó mhíreanna dúchais ach aistriúchán a dhéanamh san am céanna, *each-chumhacht, mótarbhealach*;
(6) focal a chumadh trí mhír dúchais agus focal iasachta a mheascadh, *seismeolaíocht*;
(7) fuaim Ghaeilge a chur ar fhocal iasachta, *mótar*;
(8) focal iasachta a thabhairt isteach gan é a Ghaelú go hiomlán, *hidridinimic*.

Dúirt sé gurbh fhearr leis bealach (4) agus go seachnódh sé bealach (8) ar fad. Tá go leor athruithe i gcúrsaí téarmaíochta ó Eanáir 1965 nuair a tugadh na treoirlínte sin.

Tugann sé faoin ábhar céanna fiche bliain níos déanaí in *Teangeolas* 32 (1993) agus é ag trácht ar na 'gnáthmhodhanna forbartha a bhíonn á n-oibriú ag cainteoirí na Gaeltachta'. Luann sé deich gcinn:

(1) focal nua a cheapadh agus é a bhunú ar fhocal beo Gaeilge, dul-un-cinniúil;

(2) ciall nua a thabhairt d'fhocal beo Gaeilge, súmaire > cúléisteoir;

(3) focal Béarla a ghaelú, hailí < 'alley ball';

(4) focal Béarla a leathghaelú; aistriú ar fhocal/ leagan béarla, bogha báistí, 'rainbow';

(6) leathnú ar chiall fhocail Ghaeilge (an rud ar a dtugtar Béarlachas), fuair sé fuacht, ag fáil íoctha, ag fáil sean, thóig sé seachtain orm, ag deireadh an lae, de réir mar a d'iompaigh rudaí;

(7) ciall nua nach bhfuil sa Bhéarla a thabhairt d'fhocal Béarla, compás, as compás = ar seachrán, ródhaor; saidhleam < 'asylum', tá saidhleam air = tá sé ar mire;

(8) aidiachtaí, ainmfhocail theibí, ainmneacha briathar-tha agus briathra nua a chumadh á mbunú ar iasachtaí a Gaelaíodh: (a) clabhtach < clabhta, 'cloud'; (b) seiftiúlacht > seiftiúil, 'shift';

(9) dobhriathra is cónaisc, mar atá sa Bhéarla; aini bhaes, álraidht;

(10) agaill iasachta gan aon athrú ar chiall an Bhéarla, taince, 'thank you'.

Dúirt Muiris Ó Droighneáin, tráth:

> ... nach maireann aon teanga gan toil ghníomhach agus téarmaíocht a thuigtear, is é sin nach maireann aon teanga nach múintear na hábhair chumarsáide trína meán. An dá ghléas básaithe teanga atá ann - teirce na dtéarmaí riachtanacha agus meascán téarmaí nach dtuigtear. (*Comhar*, Samhain 1974, 16.)

Rinne an Droighneánach tagairt ansin do thoil na nGiúdach 'téarmaí nuachumtha tofa sa teanga a fhoghlaim agus a úsáid. Seoltar na téarmaí nua ó chian agus ó chóngar chuig an Coiste Téarmaíochta agus *foilsítear na cinn ar glacadh go hoifigiúil leo deireadh gach seachtaine!*' (is leis siúd an cló iodálach)

Agus í ag déanamh léirmheasa ar *Word Gloss* agus *Ciste Cúrsaí Reatha* le Jim O'Donnell agus Seán de Fréine, deir Úna M. Uí Bheirn nach bhfuil téarmaí amhail '*insider dealing, shelf companies, sweetheart deals, friendly fire, set-aside land, cohesion funds, subsidiarity, stroke politics, smart missiles, fatwa* luaite iontu' cé gur 'focail/coincheapa iad ar chuala madraí na sráide fúthu minic go leor' agus deir sí go

> léiríonn sé chomh tábhachtach is atá sé go gcuirfear ar fáil go prap do phobal na Gaeilge téarmaíocht chaighdeánach údarásach do gach gné den saol. Nuair nach ndéantar sin, cumann gach tráchtaire a thig a chuid téarmaíochta féin, agus in aicearracht, bíonn trí nó ceithre leaganacha in iomaíocht le chéile. (*Teangeolas*, 32, 1993, 74-75)

Ag tagairt do bhuanghalar na Gaeilge atá sí ansin, bíodh téarma údarásach ann nó ná bíodh. Feictear *bainteachas* á úsáid ar 'relevance' agus ní *ábhartha(cht)* mar atá ann de ghnáth. Is cinnte go bhfeictear do gach Gaeilgeoir, fiú nuair is eol dó gur ceapadh téarma eile cheana go hoifigiúil nó go neamhoifigiúil, gur fearr an téarma nua atá aige féin. Níl ann ach gné eile de shotal an Ghaeilgeora a thugann le fios gur sártheanga lánfhorbartha a bhí le caomhnú aige agus ní teanga atá briosc brúite. Is doiligh an locht a chur ar údair an tsaothair sin ach go háirithe toisc nach bhfuil ach ceann amháin de na téarmaí a bhaineann le cúrsaí gnó, 'insider trading' le fáil in FSG, *déileáil chos istigh*.

Tugann an foclóir dátheangach le fios go bhfuil téarma coibhéiseach sa dá theanga a fhreagraíonn go cruinn dá chéile. Sin is cuspóir don Choiste Téarmaíochta, téarma coibhéiseach i nGaeilge don téarma ceannann céanna i mBéarla agus ar an dóigh sin an téarma coibhéiseach cuí a chur i gcúrsaíocht i nGaeilge faoi mar a tharlaíonn go nádúrtha i ngach teanga eile. Is mór an dúshlán é. Is ionann *baictéareolaíocht* agus 'bacteriology', *loingeán* agus 'cartilage', *niúmóine* agus 'pneumonia' (FS) ar gach bealach. Má thuigtear an téarma i dteanga amháin, tuigfear é in aon teanga eile óir is ionann an chiall agus an fhochiall agus an tseachchiall iontu uile, go díreach mar an gcéanna. (Ní gá, áfach, gurb ionann an chiall atá ag dochtúir leighis agus an chiall atá ag an ngnáthdhuine). An téarma atá i gceist, beag beann ar an gciall. Is é sin príomhchúram an aistritheora mar sin na téarmaí bunúsacha sa téacs a shuíomh agus an chiall atá leo a chinntiú.

Ach tá fadhb ar leith ag roinnt leis an teanga theicniúil, leis an aistriúchán teicniúil agus leis an téarmaíocht i nGaeilge. Is gné shainiúil de gach teanga an chuid theicniúil di. Ní heol don ghnáthdhuine an teanga theicniúil ina theanga féin ach amháin an teanga theicniúil atá chomh coitianta sin nach teanga theicniúil in aon chor í. Ach tá dream éigin dá laghad féin é a úsáideann an teanga theicniúil a bhaineann lena cheird féin agus a úsáideann de ghnáth agus go nádúrtha é; ciallaíonn sé sin go dtuigtear an teanga theicniúil sin nuair a úsáidtear í. Déantar tagairt go nádúrtha i gcomhthéacs áirithe do 'capital adequacy of investment funds'; ach is féidir an leagan Gaeilge a shimpliú toisc nach bhfuil i gceist ach gur gá gur leor na cistí caipitiúla infheistíochta atá ann ('adéquation des fonds propres des entreprises d'investissement' an leagan Fraincise). Más gá é a aistriú go litriúil mar théarma teicniúil, níor cheart go mbeadh aon deacracht ann. Déantar idirdhealú go minic i gceisteanna airgeadais idir 'adequate' agus 'sufficient'. Tugtar *leordhóthain* ar 'sufficiency' in FGB agus FSG, agus *dóthanach* ar 'sufficient' in FEol. Cé nach dtugtar *leormhaith* in FSG taobh na Gaeilge, tugtar *ionadaíocht leormhaith* ar 'adequate representation' agus in FT, tá *dóthain féaraigh* ar 'adequate grazing'. Toisc nach dtugtar aon Ghaeilge ar 'adequacy' sna foclóirí teicniúla (in EID, tá *freagracht, cirte, cruinneas* nach mbaineann le hábhar), is dócha go bhféadfaí *dóthain chaipitiúil i gcomhair cistí infheistíochta* a rá, fad nach ndéantar idirdhealú sa chéad abairt eile idir 'adequacy' agus 'sufficiency'! (D'fhéadfaí *leordhóthanacht* agus *leormhaitheas* a úsáid).

Ní hamhlaidh, áfach, le habairt mar 'hazardous waste management facilities'. Is focal teicniúil gach ceann acu agus is fiú casadh ar TP. Tugtar na téarmaí uile ansin. *Guaislimistéar* a thugtar ar 'hazardous area'. Is féidir glacadh le *guaiseach* mar aidiacht ach an dtig linn *guaisdramhaíl* a rá ar nós *guaislimistéar*? (Tá *guaisdramhaíl* i bhfógrán in *Foinse*, 10.11.96 agus *dramhphacaistiú* i bhfógrán in *Foinse*, 15.6.97) Tá fadhb bheag le 'management' a aistriú. Tugtar liacht samplaí ina bhfuil *bainistíocht (b. foraoise, tírdhreacha, acmhainní)* ach ansin deirtear gur *córas faisnéise bainisteoireachta* is ceart ar 'management information system'. Déantar an scéal a shoiléiriú rud beag in FSG mar a dtugtar 'managership' ar *bainisteoireacht*, agus úsáidtear *bainisteoireacht* mar bhriathar. Is dócha gur *bainistíocht dramhaíola* an leagan is fearr ar 'waste management'. (Tá tagairt san fhógrán céanna do *Rialacháin um Bainistiú Dramhaíola*). Tá mionfhadhb le 'facility' freisin. Tugtar in TP *áis, saoráid* agus *fóntas* (of public utility). Níl aon tagairt do *áis* taobh na Gaeilge in TP agus is *saoráid* a úsáidtear sna samplaí a thugtar. In FSG, tugtar 'aid', 'convenience' ar *áis* agus is *saoráid* amháin a thugtar ar 'facility'. D'fhéadfaí é a aistriú mar *saoráidí chun dramhaíl ghuaiseach a bhainisteoireacht* nó *saoráidí bainistíochta i gcomhair dramhaíl ghuaiseach*. (Ba ghramadúla, go teicniúil, *i gcomhair dramhaíola guaisí* a rá; ach má táimid chun an gnáthdhuine a mhealladh chun an teanga theicniúil a úsáid agus a thuiscint, caithfimid dearmad a dhéanamh ar fhoirm an ghinidigh den mhórchuid. Is ionann an ginideach i nGaeilge an lae inniu agus an Laidin nó an tréanas i saol na hEaglaise sna seascaidí).

Óir, i gcás na Gaeilge, is teanga í an teanga theicniúil atá saorga; is teanga tacair í. Níl eolas ag éinne uirthi. Níl aitheantas ag an teanga theicniúil (an ghné nua-aoiseach di ach go háirithe) mar chuid de shaineithne na Gaeilge. Ní fhoghlaimítear ar scoil í. Ní chuirtear eolas uirthi. Ní úsáidtear í. Maidir le teanga theicniúil de is daoine neamhliteartha formhór lucht na Gaeilge. Níl mé ag tagairt do shainteanga na dteicneoirí ach do theanga theicniúil an ghnáthchomhrá, bíodh sé i gcúrsaí sláinte nó dlí mar shamplaí. Cá mhéad a thuigfeadh cad é mar a déarfaí 'the charge was dismissed', 'gross indecency', 'preventive medicine', 'speech therapy', 'fair comment', 'reckless'? Tá téarmaí 'teicniúla' na nua-aoise nach mbaineann le haon teicneolaíocht ar leith ach le saol na haoise. Cén fáth nach bhfeictear an tagairt chruinn do na *cistí struchtúracha* (*cistí struchtúrtha*, 'structured' a thugtar orthu de ghnáth), don *aontas eacnamaíoch agus airgeadaíochta* (tugtar *aontacht eacnamaíochta agus airgeadais, aontas geilleagrach agus airgeadaíochta* air, agus *airgeadra aontaithe* agus *airgead comónta* in ionad *airgeadra aonair*, gan trácht ar an *comhpholasaí talmhaíochta*)?

Agus sa mhullach ar an aineolas forleathan sin tá deacrachtaí inmheánacha na gramadaí a dhéanann do-úsáidte cuid mhór den téarmaíocht nua. Ní de thaisme a fhéachann an CT leis an scéal a shimpliú ó uair go chéile. Sin an fáth go dtugtar *painéal, ráiteas, seicheamh rialúcháin,* 'control panel, statement, sequence' cé nach bhfuil tagairt do *rialúchán* (ach do *rialú)* taobh na Gaeilge den fhoclóir. Ní théann sé fada go leor áfach. Faoin gceannfhocal céanna 'control', tugtar ar 'control transfer instruction address', *treoirsheoladh aistriú rialúcháin.* Má dhéantar *treoirsheoladh* agus *aistriú* a infhilleadh, ní bheadh Solamh féin in ann aon chiall a aimsiú ann. (Tiocfaidh mé ar ais chuig an bhfadhb seo i gCaibidil 7). Dá mbeadh an buntéarma ar eolas ag an ngnáthdhuine, b'fhéidir go dtiocfadh an bhunchiall slán d'ainneoin na n-infhillteacha uile ach ní hamhlaidh atá. Caithfidh an t-aistritheoir bheith an-fhaichilleadh mar sin agus na téarmaí nuacheaptha seo á láimhseáil aige. Is minic gur doiligh don úsáidire agus don léitheoir an ceangal gramadúil atá idir na focail éagsúla sna téarmaí seo as TR a oibriú amach, e.g. *tabhall rialúcháin rochtana* nó *tabhall treoracha brainseála neamhchoinníollacha.* Má tá an locht ar an té nach dtuigeann an bunchoincheap, bíodh. Ach is baolach go bhfuil ródheacrachtaí ag gabháil leis an gcur chuige nach mbeidh an Ghaeilge in ann a shárú. Déanfar tagairt anseo thíos do dheacrachtaí sa bhreis a bhaineann le húsáid agus le comhthéacs na dtéarmaí.

Ní leor, maidir leis an aistritheoir Gaeilge de, foclóir Béarla-Béarla a cheadú chun a fháil amach an téarma teicniúil atá ann, an gnáth-théarma é atá á úsáid go teicniúil agus cad is brí leis, caithfidh sé EID agus FGB a chur i gcomórtas le chéile agus beidh air an foclóir teicniúil iomchuí a cheadú freisin. Is leor smaoineamh ar roinnt téarmaí a bhfuil gnáthchiall leo agus ciall theicniúil i gcomhthéacs ar leith agus nach ionann an chiall theicniúil i ngach comhthéacs. Ní roinneann an Ghaeilge ar an dóigh chéanna leis na focail sin. Is ionann sin is a rá nár mhiste don aistritheoir gach foclóir teicniúil a cheadú i gcásanna áirithe. Ní hamháin sin, ach toisc an córas iontrála a tosaíodh le TR i 1990 (tá gach iontráil ina ceannfhocal in ionad na samplaí uile den téarma céanna a iontráil faoin aon cheannfhocal amháin), is fiú sracfhéachaint a thabhairt ar thaobh na Gaeilge a luaithe atá coibhéis éigin faighte chun tuilleadh samplaí a fheiceáil. Is léir nach ionann 'power' i dtaca le feithicil agus le cúirt, ach is *cumhacht* a úsáidtear i gcúrsaí ceardaíochta, i gcúrsaí fealsaimh, i gcúrsaí eolaíochta (tugtar faoi deara, áfach, go dtugtar *cumas* in FEol freisin; ní léir cad é an chúis atá leis ach amháin gur cosúil go bhfuil *cumhacht ann* nuair is 'power' agus focal ina dhiaidh, e.g. *grádú cumhachta*, 'power rating' atá i mBéarla, ach *cumas* nuair is 'power' agus focal roimhe, e.g. *cumas spréite*, 'dispersive power' atá sa Bhéarla) agus i gcúrsaí dlí.

Ní hionann *cumas* agus 'capacity'. Tá a coibhéis féin i nGaeilge do gach comhthéacs, a bheag nó a mhór: tugtar *cumas* in FF agus FEol (*cumas iompair*, 'carrying capacity', atá le fáil ar thaobh an Bhéarla faoi 'carrying'), *toilleadh* in FEol (*toilleadh teasa*, 'heat capacity'); in TP, tá *toilleadhbhac*, 'capacity restraint' agus *cumas an tírdhreacha (chun tithíocht a ghabháil)*, 'absorption capacity of the landscape (to accomodate housing)'; tá *sástoilleadh an ghoirt*, 'field capacity' in FB agus in FGB, agus *luchtlach*, 'load, capacity' in FGB; in FT, bíodh is go dtugtar *cumas péactha* ar 'germinating capacity', is *acmhainn* an téarma is coitianta, *acmhainn chaidéil*, 'pump capacity' agus *acmhainn mhalartaithe bunanna* ar 'base-exchange capacity' (*cumas malartaithe bunanna* atá in FB); *toilleadh* atá in FCT, agus *cumas* in FB, ach in FCT deirtear gurb ionann *cumas* agus 'capability', 'power' nó 'leverage'; *toilleadh* atá in TR, *toilleadh cuimhne/stórais*, 'memory/storage capacity'; tugtar *toilleadh* agus *cumas* in FS, *toilleadh beo*, 'vital capacity' agus de réir FF, ciallaíonn *cumas*, 'capacity' nó 'capability'. Tá sraith nua ar fad le fáil in FSG. Leanann sé TD maidir le *cáil mhuiníneach / phearsanta*, fiduciary / personal capacity (cé go bhfuil *cáilíocht phearsanta* in FSG freisin), agus *inniúlacht chonraithe*, 'capacity to contract' (sic). Ina dteannta siúd tá in FSG, *cumas tuillimh*, earning capacity, *ró-acmhainneacht*, excess capacity, *cumas táirgiúil*, 'productive capacity'. Tá freisin *cóimheas / athraitheas inmhe*, 'capacity ratio / variance', *úsáid lánchumais*, 'capacity utilization' agus *ag obair de réir 90% de chumas*, 'running at 90% capacity'.

Baineann siad uile a bheag nó a mhór le nóisean na coibhéise. Níl an choibhéis chomh follasach céanna maidir le *cumas táirgthe a chailleadh*, 'lost production capacity'. Ar an gcéad dul síos níl sé soiléir. Ós rud é go dtugtar *táirgeadh/táirgeacht* ar 'production' d'fhéadfaí a shamhlú go nglacfaí le *cumas táirgeachta a chailleadh* chun an athbhrí a sheachaint. Is doiligh a dhéanamh amach cad chuige a roghnaítear iad seachas a chéile. B'fhéidir gur cóngaraí táirgeacht do 'output', agus déantar idirdhealú in TP idir *aschur* (a thugtar sna foclóirí teicniúla uile ar 'output'), mar *aschur ríomhaire*, 'computer output' agus *aschur ciallach*, 'meaningful output' agus *táirgeacht* (econ), mar *olltáirgeacht náisiúnta*, 'gross national output'. In TP ní thugtar ach *táirgeadh* amháin ar 'production' (cé go bhfuil *áireamh táirgeachta* ar 'census of production' - *móráireamh ar tháirgeadh* atá in FSG); nuair is ionann 'production' agus 'output' is é *táirgeacht* an téarma coibhéiseach, mar in *táirgeacht talmhaíochta*, 'agricultural output'. (Ní thugtar 'output' in aon chor in FT ach is ionann *táirgeacht* ansin agus 'yield', ní maidir le 'fruits' nuair is *toradh* an téarma cruinn, ná le 'crops' (*barr* an focal ceart) ach le 'milk', nuair a thugtar *bleánach, crúthach* agus *tál* freisin). In TP níl ach *olltáirgeadh* ar 'mass production' ach in FSG, tá *olltáirgeadh* agus *olltáirgeacht*.

A mhéad is féidir loighic na dtéarmaí in FSG a thuiscint, is cosúil go n-úsáidtear *táirgeadh* nuair atá earra i gceist (agus maidir le gramadach de, nuair atá ainmfhocal ina dhiaidh nó roimhe), *táirgeadh bainne /*

glasraí/muc/torthaí/uibheacha agus *baisctháirgeadh, jabtháirgeadh, sraith-tháirgeadh, sreabhtháirgeadh,* 'flow-production' - ach *earraí táirgeachta,* 'production goods' agus *tréimhse idirtháirgíochta* (sic) ar 'inter-production period' - agus *táirgeacht* i gcomhthéacs ginearálta (agus nuair is aidiacht atá á cháiliú), *táirgeacht indíreach/idirmheánach/imeallach* agus *lántáirgeacht, meántáirgeacht, olltáirgeacht* (ach tugtar *olltáirgeadh* freisin agus *príomhtháirgeadh*).

Leantar an prionsabal sin maidir le *tosca táirgeachta,* 'agents of production' (cé go bhfuil faoi 'factors of production' *tosca táirgthe* agus *tosca táirgeachta*), *léirthuiscint ar tháirgeacht,* 'production appreciation', *rialú/rialtóir táirgeachta,* 'production control / controller' - is amhlaidh is ciallmhaire sa chéad chás óir bheadh an t-uafás athbhrí ann nuair a rachadh *rialú táirgeadh* faoi réir na modhanna uile gramadaí; ach ní sheachnaítear an athbhrí sa chéad cheann eile mar tugtar *costais táirgthe* agus *costais táirgeachta,* 'production costs'. Ní fhéadfaí ar an ábhar céanna gan *feidhmeannach táirgeachta* a thabhairt ar an 'production executive' ach tá FSG dílis don phrionsabal sin tríd síos maidir le 'production line / manager / management / method / nature / planning / process'.

Ach cá bhfágtar an t-aistritheoir atá ag iarraidh 'capacity' a aistriú agus a dhéanann na téarmaí éagsúla a cheadú taobh na Gaeilge sna foclóirí éagsúla. Má amharctar faoi *cumas* in FSG, feicfear *cumas ardaitheach,* 'upward leverage', *cumas gnó/margála,* 'business/bargaining ability', *cumas iomaíochta,* 'power of competition', 'competitiveness' (tugtar *acmhainn iomaíochta* in FSG freisin), 'competitivity' (tá *iomaíochas* tugtha ag an CT ó shin ar 'competitiveness/ competitivity', réiteach atá i bhfad níos sásúla sa mhéid gur fusa focal amháin a láimhseáil sa Ghaeilge); faoi *inniúlacht,* tá *i. próisis,* 'process capability'. Léiríonn na samplaí seo gur gá don aistritheoir bheith an-aireach agus é ag iarraidh 'capacity' a aistriú. Is dócha go bhfuil sé soiléir go gciallaíonn *toilleadh* 'capacity' i gcomhthéacs eolaíoch nó teicniúil, agus go dtéann *cáil/cáilíocht* le comhthéacs amháin, gurb é *inniúlacht* an téarma is oiriúnaí i gcúrsaí dlí agus go bhfuil dianmhachnamh le déanamh i ngach cúinse eile nach beag idir *cumas* agus *acmhainn*. Cheapfainn féin go bhféadfaí *ábaltacht* a cheangal le 'ability' i gcuid mhór cásanna. Ní mór don aistritheoir a chuimhneamh i gcónaí, go háirithe an t-aistritheoir go Gaeilge, ar an léitheoir. Mura dtuigeann an léitheoir an téarma atá á úsáid agus nach ar an léitheoir atá an locht as an míthuiscint, is drochaistriúchán atá déanta. Is lú an aird a thugtar ar 'incapacity/incapacitated'. *Éagumas* atá ar 'incapacity' agus *éagumasach, 'incapable'* agus *éagumasaithe*, 'incapacitated', (*duine éagumasaithe*, 'incapacitated person') atá sa reachtaíocht. In FS tá *neamhábaltacht*, 'incapacity' agus *ar éagumas*, 'incapacitated', (*ar éagumas coirp*, 'physically incapacitated'). Tugtar *éagumasú*, 'incapacitation' agus *éagumasaigh*, 'incapacitate' in TP; *éagumas*, 'incapacity' atá in FF. An dtabharfaí *inniúlacht* nó *cumas* nó *ábaltacht núicléach* ar 'nuclear capability'?

Ach is é an deacracht nach furasta a bheith cinnte cad is téarma teicniúil ann. I gcás na Gaeilge, mar shampla, ní gá go bhfuil gach focal sna foclóirí éagsúla, dá ngairtear foclóirí teicniúla, ina fhocal teicniúil a bhfuil téarma coibhéiseach ann dó i ngach teanga. In TR, mar shampla, tugtar *tabhall* tríd síos ar 'register' agus is 'board' amháin a thugtar ar *clár, clár breactha*, 'plotting board'. (Cad é mar a thuigfí nach gciallaíonn *conair bhreactha*, 'plotting path' ach 'plotted path'?) Ach tá *clár*, 'register' ina fhocal teicniúil go minic i gcúrsaí dlí.

Ní gá, mar shampla, gurb ionann *cóiriú* (FS) agus 'dressing' i gcónaí. Deirtear in FSG go gciallaíonn *an margadh a chóiriú* 'to rig the market' (ar cheart a shamhlú gur *ballóid/vótaíocht a chóiriú* a bheadh ar 'ballot-rigging', lch.8 thuas); in FT deirtear gur 'trimmed fleece' é *lomra cóirithe*; in FCT is 'reel-on-gun arrangement' é *cóiriú spól-ar-ghunna*, agus in FC ciallaíonn *a chóiriú le ceol* 'to set to music'. Tugtar 'treatment' air gan comhthéacs in TTR.

Ach feic mar atá *athchóiriú*. In TP ní thugtar faoi 'reform' ach *athchóiriú* (*athchóiriú rialtais áitiúil*) agus *athriar* (*athriar talúntais*, 'agrarian reform'), cé go dtugtar faoi *athchóiriú* chomh maith le 'reform': 'conversion', 'restructuring' (*athchóiriú gréasán páirceanna*, 'restructuring of field patterns') agus 'restoration' (*athchóiriú talún (tar éis mianadóireachta)*, 'restoration of land (after mining)') agus tá 'restoration' ar *athchóiriú* in FT (*athchóiriú faiche/léana*). Ach in FSG, ciallaíonn *athchóiriú*, 'reconstruction' (*athchóiriú ar chuideachta*, 'company reconstruction'); (ach feic freisin *athfhoirgníocht agus forbairt*, 'reconstruction and development') nó 'restructuring of capital', *athchóiriú caipitil*, cé go dtugtar *athstruchtúrú* freisin. Deirtear freisin go gciallaíonn *athchóiriú fostaíochta* 'redeployment'.

Maidir le 'reform' de, tugtar *leasú airgeadaíochta*, 'monetary reform' agus *leasú struchtúrach*, 'structural reform'. Cé nach bhfuil sé le fáil taobh na Gaeilge faoi *leasú* ná taobh an Bhéarla faoi 'revision' (tá sé sa dá áit in TP, *leasú* 'revision of map), tá *athraitheas leasú buiséid*, 'budget revision variance' agus *athraitheas leasacháin ar luacháil stoic*, 'stock valuation revision variance' ann. B'fhearr gan amhras *leasúchán* a úsáid sa chás sin faoi mar atá *athchóiriúchán, ciorrúchán, eagrúchán, léiriúchán* d'fhonn an chosúlacht le leasachán, 'fertilizer' a sheachaint. Caithfidh an t-aistritheoir na gaistí sin a sheachaint, óir tá toradh a shaothair ag brath ar a shoiléire, a shothuigthe, a chiallmhaire atá sé.

Cad is focal teicniúil ann mar sin? Cheapfá b'fhéidir gur focal teicniúil é 'humidity'. *Taiseachas* atá in FS agus in FT (ach níl sé in FGB) ach *bogthaise* (atá in FGB) a thugtar air in FEol. An gciallaíonn sé sin nach ionann 'humidity' i gcúrsaí fiseolaíochta agus i gcúrsaí eolaíochta nó gur tháinig an CT ar athrú aigne idir an dá linn?

An féidir teacht ar an tuairim faoi cad is focal teicniúil ann ar bhonn an ghnáis mar atá sé á léiriú i bhfoclóirí an CT. *Treoluas* atá ar 'velocity' in FCT, FEol agus FR ach *luas* atá in FSG (mar atá in FGB). Tugtar le tuiscint in FSG mar sin nach 'velocity' sa ghnáthchiall atá i gceist in abairtí mar 'income velocity of circulation'. In amanna eile déanann an CT idirdhealú níos sainráite. Breathnaímis ar fhocal atá gaolmhar le 'velocity', i. 'accelerate'. In FEol, déantar idirdhealú idir (*of process*), *luathaigh* (sa cheimic), agus (*of motion*), *luasghéaraigh* (san fhisic), ach ní thugtar faoi 'decelerate' ach *luasmhoilligh,* a thugtar freisin in FCT agus FR. Tugtar roinnt samplaí: *luasghéarú de bharr domhantarraingthe*, 'acceleration due to gravity', *luathú coinbhéirseachta*, 'acceleration of convergence', *luasghéarú saorthitime*, 'acceleration of free fall'. [Is trua, dála an scéil, nach dtugtar *luasghéarúchán* mar bhunfhoirm mar atá tugtha faoin 'acceleration potential', *pointéinseal luasghéarúcháin*, agus faoi mar atá *am luasmhoilliúcháin* tugtha faoi 'deceleration time' in TR]. Ní thugtar ach *luasghéarú* (mar aon leis an sampla céanna *luasghéarú de bharr domhantarraingthe*) in FR, FCT nó TR. Tugtar *caidéal luasghéaraithe* (sic) in FCT ar 'accelerator pump'; ar 'accelerator' tugtar *luasghéaraitheoir* in TR agus *luasaire* in FT. In EBh tá *reothriomú mear* ar 'accelerated freeze-drying'. Feic freisin ar fhocal mar 'acceptance' a bhfuil *glacacht* tugtha mar aistriúchán air in FSG agus *glacacht bainc/táirge*, 'bank/product acceptance' tugtha mar shamplaí. In FCT agus in TR, tá *tástáil inghlacthachta* ar 'acceptance test'. Is cosúil ar bhonn na samplaí sin go bhfágtar an cúram ar an léitheoir/aistritheoir féin an breithiúnas deiridh a dhéanamh.

Tá réamhdheacracht bheag amháin eile a bhaineann leis an aistriúchán teicnúil go Gaeilge, seachas an deacracht faoi cad is téarma teicniúil ann. Tá an dara ceist: an féidir abairt theicniúiil a bheith ann agus más féidir cad is abairt theicniúil ann? Nuair a thugtar *dromchla sionóibhiach altach* in FS ar 'synovial articulating surface', is dócha gur sainmhíniú teicniúil é agus gur coibhéis atá in ainm is a bheith sa téarma i nGaeilge. Is baolach áfach nach dtuigfeadh an gnáthGhaeilgeoir an abairt i nGaeilge. Is dóichí téarmaí nó abairtí coibhéiseacha a fháil i gcomhthéacs na n-eolaíochtaí. Tá *toradh paraisiútach*, 'parachute fruit' agus *bréagthoradh* , 'false fruit' in FB. San fhoclóir céanna faoi 'accessory', tugtar *cúnta, coimhdeach,* agus faoi 'accessory food factors' tá *biafhachtóirí cúnta,* (atá in FS freisin) agus faoi 'accessory nerve' tá *néaróg choimhdeach*. Tá go maith go dtí go gceadaímid FT mar a bhfuil faoi 'accessory fruits' '=false fruits', *bréagthorthaí*. Maidir le 'accessory' mar ainmfhocal, tá *gabhálas* (meicniúil) in FEol agus *comhghabhálas* in FSG. In EBh agus FCT tugtar *gabhálas* agus *oiriúint* (tugtar *gnáthoiriúint* ar 'normal accessory' in FCT) ach in FT níl ach 'accessories' san iolra ann agus *oiriúintí* mar aistriúchán leis. Agus cad faoi 'normal' féin? Cá huair is téarma teicniúil é? Tugtar *normálta* in EBh faoi 'normal' agus tugtar *craiceann normálta*, 'normal skin' ach deirtear gur *salann normalach*, 'normal salt'. In FCT deirtear (ınth: chem) *normalach,* gan samplaí, ach tugtar *plána/amharc normálta*, 'normal plane/view'. Ní mór idirdhealú a dhéanamh i gcomhthéacs an gheilleagair idir 'ordinary' agus 'normal'. Tugtar *gnáthchruinniú* ansin ar 'ordinary meeting' agus *dáileachán normálta* ar 'normal distribution'. B'fhéidir gur soiléire na cásanna ina bhfuil an Ghaeilge ina coibhéis chruinn den Bhéarla nuair nach mór an téarma i nGaeilge a mheas mar théarma teicniúil coibhéiseach. Ar an drochuair, níl na téarmaí coibhéiseacha i nGaeilge chomh socair daingean agus ba cheart dóibh a bheith. In FB tugtar *dáileadh normalach* ar 'normal distribution'. Má tá éiginnteacht ag gabháil leis an téarma, is amhlaidh is mó a bheidh ag gabháil leis an abairt.

Is féidir a mhaíomh ón mbeagán samplaí sin go bhfuil an CT ag iarraidh an iomad a dhéanamh nó go bhfuil sé ag caitheamh péarlaí ar mhuca nuair a thugtar faoi abairtí teicniúla a thabhairt. Níl an locht air mar is minic nach bhfaightear focal ina aonar a bhfuil ciall iomlán amháin ann ach go bhfuil an téarma féin ceangailte le focal eile a dhéanann an chiall a leasú: ainmfhocal le briathar, ainmfhocal le haidiacht, briathar le réamhfhocal agus mar sin de, gan trácht ar an gcomhthéacs in aon chor. Óir is suntasach an ceangal go minic idir an comhthéacs agus ciall an fhocail. Tá gach ciall sa chomhthéacs. Tugann Chomsky mar shampla de thábhacht an chomhthéacs an abairt 'he decided on the boat'. Mura dtugtar a thuilleadh eolais ní fios an ndearna sé an cinneadh agus é ar an mbád ach ní fios cén cinneadh a rinne sé (é féin a bhá, teach a thógáil, leabhar a scríobh, mac tíre a mharú), nó an ndearna sé cinneadh an bád agus ní gluaisteán nó eitleán a cheannach. Má tá ciall amháin san abairt ní féidir teacht air ar bhonn na habairte sin amháin.

Ach cá gcríochnaíonn an abairt nó an téarma teicniúil agus cá dtosaíonn an comhthéacs. Sin ceist mhór amháin eile nár mhiste a fhuascailt sula mbeidh rath ar fad ar obair an CT. I gcás mar 'direct materials yield variance', *athraitheas toraidh na n-ábhar díreach,* nó 'fixed production overhead volume variance', *athraitheas méadúlachta ar fhorchostas seasta táirgeachta* nó, níos casta arís, *athraitheas méadúlachta forchostas táirgeachta seasta,* an dá shampla as FSG, is cosúla le hobair aistriúcháin atá ar siúl ná obair téarmaíochta. Mar bharr ar an donas níl tagairt áit ar bith do *méadúlacht*, ('massiveness, bulk' a thugtar in FGB). Is amhlaidh le 'operating' in FSG. Tugtar *cuideachta oibríoch* ar 'operating company' ach *brabús/costais/ráiteas oibriúcháin* ar 'operating profit/ costs/statement'. Ansin tá *oibríochtúil*, 'operational'. An bhfuil neamhaird á tabhairt ar phríomhchuspóir na téarmaíochta trí théarmaí a bhunú ar bhealaí aduaine na gramadaí in ionad téarma soiléir coibhéiseach a sholáthar a thuigfear agus a úsáidfear i ngach cás toisc go bhfuil sé sothuigthe. Déantar athrú nó leasú ó fhoclóir go chéile gan aon mhíniúchán a thabhairt.

Is féidir go bhfuil bunriail an aistriúcháin á sárú i gcuid de na samplaí sin mar níl siad sothuigthe ná soiléir iontu féin. Is cinnte go bhfuil go leor fadhbanna teanga le sárú ag an nGaeilge i dtaca leis an teanga theicniúil de agus i dtaca le réimse forleathan coibhéisí a bhunú gan an giorria a mharú ar fad, ach is féidir freisin go bhfuil cuid mhór de na deacrachtaí tuisceana fite fuaite i gcathair ghríobháin na gramadaí. Is sa téarmaíocht theicniúil atá na heasnaimh is mó sa Ghaeilge. De thairbhe shárobair an CT tá na heasnaimh agus na ganntanais sin ag dul i laghad. Ach tá an ghramadach fós ina praiseach. Ba mhór an trua dá gcaillfí radharc ar an oidhreacht nua téarmaíochta sin nó nach bhféadfaí lánúsáid a bhaint aisti, maidir leis an aistritheoir agus an léitheoir araon, toisc go bhfuil an ghramadach ag dul ó smacht. Tá cuid mhór de na téarmaí ann anois sna foclóirí teicniúla éagsúla. Cad é dualgas an aistritheora? Caithfidh sé a ghéarchúis agus a fheasacht agus a fhiosracht a fhorbairt chun na cásanna a aithint inar gá an téarma teicniúil a úsáid, chun a aithint gur earráid é gan an téarma teicniúil a úsáid, agus gur máchail air mar aistritheoir gan a aithint go bhfuil téarma coibhéiseach teicniúil de dhíth air agus cá bhfuil sé le fáil aige. Agus caithfidh sé a aithint nach fiú aistriúchán dá aoibhne, nach fiú a dhath na téarmaí coibhéiseacha teicniúla uile a úsáid, mura dtuigtear an teachtaireacht ag deireadh. Bíodh an milleán le cur ar fhiar na gramadaí nó ar aineolas an aistritheora, is cuma.

Baineann an t-aistriúchán teicniúil le beagnach gach ábhar ach amháin le gnáthchúrsaí an lae. Is ionann ar bhealach an borradh atá tagtha ar ghairm an aistriúcháin agus fás na nua-theicneolaíochta. Is é an téarmaíocht a dhealaíonn an gnáthaistriúchán ón aistriúchán teicniúil, bíodh is nach bhfuil na téamaí teicniúla ach ina n-orlaí tríd an téacs. Is leor amharc ar na samplaí i gCaibidil 8 chun an fíoras sin a fheiceáil. Lasmuigh de na téarmaí teicniúla is gnáth-theanga atá ann gona rialacha gramadaí, gona saintréithe, gona deacrachtaí tuisceana. Sin an fáth nach féidir obair an aistriúcháin, teicniúil nó eile, a dhéanamh beag beann ar riachtanais na Gaeilge féin. Caithfidh an t-aistritheoir atá ag obair i réimse teicniúil de ghnáth aird ar leith a thabhairt ar cháilíocht na Gaeilge i gcoitinne.

Ní fearr sampla den deacracht atá ag an aistritheoir comhréiteach a dhéanamh idir an ghné theicniúil agus an teanga ná an fhadhb atá ag an gCoiste Téarmaíochta maidir leis an bhfocal *forbairt*, 'development'. Tugtar *straitéis fhorbartha* ar 'development strategy' cé go dtugtar *forbairt/ forbraíocht* ar 'development'; cad é mar a déarfaí 'a well-developed development strategy', *straitéis forbartha d(h)ea-fhorbartha* nó *straitéis forbartha atá forbartha go maith*? Is amhlaidh atá sna foclóirí uile; feic mar shampla in TP go dtugtar *plean forbartha fadtréimhseach* ar 'long-range development plan'. Cé go dtugtar *forbraíocht* chomh maith le *forbairt* ar 'development' ní thugtar ach fíorbheagán samplaí in TP: *forbraíocht cois bóthair/measctha*: 'roadside/mixed development' agus *teicníocht tuartha forbraíochta*, 'development forecasting technique'. Tugtar *tógáil feadh an bhóthair* ar 'ribbon building' in EID ach in TP tugtar *forbairt ribíneach* ar 'ribbon development'. Mar bharr ar an donas deirtear in FCT agus in FEol go gciallaíonn *forbairt* 'expansion' freisin i gcomhthéacs áirithe agus in FC tugtar *forbairt* agus *forleathnú* - *forleathnú míre*, 'development of phrase'. In FEol, tugtar *forbarthach* ar 'developmental', *bitheolaíocht fhorbarthach*, ach in TP tugtar *forbartha* agus ansin *brú forbraíochta* mar aistriúchán ar 'development/ developmental pressure'. In FT taobh an Bhéarla, tá *forbairt na talún* 'development of land' ach *forbairt talún* taobh na Gaeilge. An ghné dheiridh den mhearbhall, baineann sí leis an séimhiú. In TP ní shéimhítear riamh i ndiaidh *forbairt*, agus is *forbairt pearsantachta* atá in FS. In FSG tá *forbairt bhainistíochta* faoi mar atá *fostaíocht mhonaraíochta* ach níl séimhiú riamh in FSG i ndiaidh *bainistíocht*; in FEol, áfach, nuair atá an chiall 'expansion' leis, tá *forbairt cumraíochta* agus *forbairt pháirtchodán*. Nárbh fhusa do chách, nár chiallmhaire agus nárbh fhearrde an Ghaeilge gan a bheith ag iarraidh an dara hainmfhocal a shéimhiú, ag iarraidh an iomad trá a fhreastal? Níl an locht ar an CT. Ní air atá an locht nár féachadh le daichead bliain le rialacha na teanga a chur in oiriúint do shaol na haoise; iarrtar air téarmaí coibhéiseacha intuigthe ciallmhara a sholáthar agus ní féidir téarmaí intuigthe a chur ar fáil agus rialacha na gramadaí mar atá siad a úsáid. Ach is dual don aistritheoir an réiteach praiticiúil sothuigthe a fháil.

Tá an fhadhb chéanna le feiceáil sna teidil a thugtar do chomhlachtaí áirithe. Tá *An tÚdarás Forbartha Tionscail*, 'Industrial Development Authority' agus *an tÚdarás Forbartha Talmhaíochta agus Bia*, 'The

Agriculture (sic) and Food Development Authority'; tá *an tAcht um Fhorbairt Tionscail*, 'Industrial Development Act'; *an tAcht um an nGníomhaireacht Náisiúnta Forbartha*, 'National Community Development Agency Act', ach tá *an tAcht um Chorparáid Forbartha Náisiúnta*, the National Development Corporation Act, *Cuideachta Forbartha Aerfort Neamhchustam na Sionna Teoranta*, 'The Shannon Free Airport Development Company Limited'; lasmuigh d'Éirinn tá an *Ciste Eorpach Forbartha*, 'the European Development Fund' agus *Ciste Forbraíochta Réigiúnaí na hEorpa*, 'the European Regional Development Fund' agus *an Eagraíocht um Chomhar agus Forbairt Eacnamaíoch*, 'the Organization for Economic Cooperation and Development'.

Sin ábhar imní eile don aistritheoir go Gaeilge chomh maith leis an éiginnteacht a bhaineann le hainmneacha dílse, téarmaí cultúrtha agus institúideacha, eagraíochtaí idirnáisiúnta agus polaitiúla. Chomh maith leis sin tá an raidhse giorrúchán atá ag teacht chun bheith ina chuid dhílis den ghnáth-theanga. (Ceist eile a bhaineann leis an ngiorrúchán is ea an amharctar air mar ainmfhocal cinnte nó éiginnte? Thabharfadh nós na cainte le fios gur gá an t-alt a chur rompu, *buanna an CLG, feachtas an IRA, forás an BSE* ach ní mar sin atá i gcónaí). Ní chuirfear aon locht ar an aistritheoir arís má thagann mearbhall air i láthair éagsúlacht na dtéarmaí ach ní mór dó an iarracht a dhéanamh. Mar is dual don Ghaeilge tá na téarmaí seo le fáil ar gach dóigh; is cosúil gur cuma faoi ord na bhfocal. Tá an *t-aonad airgeadra Eorpach* agus an *Institiúid Eorpach Airgeadaíochta*; tá *Limistéar Saorthrádála na hEorpa* agus *Limistéar Eorpach Eacnamaíoch* agus *Comhphobal Eacnamaíochta na hEorpa*.

Tá éagsúlacht as cuimse ag gabháil leis na

leaganacha oifigiúla atá ar fáil ar chomhlachtaí agus institiúidí agus forais agus boird in Éirinn. Tugadh an *Roinn Gnóthaí Coigríche* tráth ar an *Roinn Gnóthaí Eachtracha*. Baineann an éagsúlacht leis an modh oibre ginearálta, le hord na bhfocal, le húsáid an ghinidigh nó an réamhfhocail, le hathrú intinne ó bhliain go chéile agus ní luaim ach iad. Seo roinnt samplaí: tá *an tAcht um Dhliteanas Sibhialta*, 'Civil Liability Act', ach *an tAcht Taighde Tionscail agus Caighdeán*, 'Industrial Research and Standards Act', agus *Seirbhís Fionnachtana na hInstitiúide Taighde, Tionscail agus Caighdeán*, 'the Inventions Service of the Institute for Industrial Research and Standards' ach *an Ciste Infheistíochta Roithleánach don Fhostaíocht*, 'the Revolving Investment Fund for Employment'; tá *An Coimisiún Muc agus Bagúin*, 'The Pigs and Bacon Commission', agus *An Coimisiún Cleachtas Srianta*, 'The Restrictive Practices Commission', ach *An Coimisiún um Athchóiriú an Dlí*, 'The Law Reform Commission', agus *An Coimisiún um Cheapacháin Áitiúla*, 'The Local Appointments Commission'.

Is cosúil go raibh an-deacracht ag gabháil riamh le 'medical' a chur go Gaeilge. Ar na heagraíochtaí tá: *Cór Liachta Óglaigh na hÉireann*, 'the Medical Corps of the Defence Forces', *an Clár de Shaineolaithe Liachta*, 'Register of Medical Specialists', ach *Comhairle na nDochtúirí Leighis*, 'the Medical Council', *Acht na Lia-chleachtóirí*, 'Medical Practitioners Act' agus *Comhairle Chláraitheachta na nDochtúirí Leighis*, 'the Medical Registration Council', *an Bord Míochaine agus Déidliachta Iarchéime*, 'the Postgraduate Medical and Dental Board', *Rialacháin um Ullmhóidí Leighis*, 'Medical Preparations Regulations'.

Feic an dóigh a n-aistrítear an focal 'Medical' thar na blianta sa Reachtaíocht: adviser: *lia-chomhairleoir*; adviser: legal or m. adviser: *comhairle dlí nó liachta*;

appointment: *coinne dochtúra;* attention: *cóir liachta;* bachelor of medicine/surgery: *baitsiléir míochaine/ máinliachta;* capacity: in a residential m. capacity: *i gcáil dochtúra chónaithigh;* care: *cúram liachta;* certificate: *deimhniú dochtúra;* certifying doctor: *an dochtúir deimhníochta;* evidence: *fianaise liachta;* examination: *scrúdú dochtúra, scrúdú liachta;* examine: medically examined: *dul faoi scrúdú liachta;* grounds: *foras liachta;* referee: *lia-réiteoir;* officer: m.officer in charge: *an dochtúir oifigiúil i bhfeighil;* practice of medicine: *cleachtadh na míochaine;* practice: accepted medical practice: *cleachtas liachta inghlactha;* practitioner: the designated, registered m. practitioner: *an lia-chleachtóir cláraithe ainmnithe;* profession: *an ghairm liachta;* services: *seirbhísí de chineál liachta;* services of a m.,dental, optical nature: *seirbhísí liachta, déidliachta, súil-liachta;* specialist: *saineolaí liachta;* technician: laboratory technician: *teicneoir saothar-lainne liachta;* treatment: *cóireáil liachta, cóireáil mhíochaine;* treatment: proper care and treatment: *aire cuí agus aireacht chuí;* use: *chun úsáide liachta.*

In **FS** tá: aid: *áis mhíochaine;* auxiliary: *cúntóir míochaine;* equipment: *fearas míochaine;* inspection: *cigireacht mhíochaine;* practitioner: *lia;* treatment: *cóireáil mhíochaine;* tugtar 'cure' ar *leigheas* agus níl rian ar bith de *liacht.* In **FGB**, tugtar 'materia medica' mar aistriúchán ar *míochaine,* '(practice of) medicine ar *liacht* agus 'art of healing; cure, remedy' ar *leigheas.* Tugann an **Duinnníneach** an míniúchán seo a leanas: *leigheas*: act of healing, curing; the science, practice and profession of medicine; *liaigheacht*: medicine, as a science, healing, curing; *miodhchaine*: the practice of medicine (*miodhach* a medico). In **DIL**, tugtar *leiges,* the art of the *liaigh,* healing; medical treatment; medicine; healing; *liaig*: leech, doctor, physician; *midchuine*: Lat. *medicina,* medical treatment (*Aisling Mac Conglinne*).

Tá leagan de chuid mhór de na haistriúcháin oifigiúla nó leathoifigiúla sin ann ach níl teacht ag an ngnáthaistritheoir orthu. Is fiú dó más dóigh leis go bhfuil a leithéid de theideal ann cheana teagmháil a dhéanamh le Rannóg an Aistriúcháin nó leis an gCoiste Téarmaíochta nó leis an gComhairle sa Bhruiséil ionas nach ndéanfaidh seisean ceann nua a chur sa chúrsaíocht. Tugtar liosta de na giorrúcháin, noda agus eagraíochtaí is coitianta in TP (118) agus FSG (xiii-xiv).

Tá dualgas ar an aistritheoir freisin eolas a chur ar na logainmneacha baile agus iasachta. Tá sraith leabhar nua curtha ar fáil ag Brainse na Logainmneacha den tSuirbhéireacht Ordanáis agus tá logainmneacha iasachta le fáil in TP (102-108 agus 251-257); tá ar fáil ansin freisin liosta de Phobail agus Ciníocha (109-112 agus 258-261); tá liosta níos iomláine de logainmneacha iasachta in FP (509-515) agus ar ndóigh is fiú an dá chuid den *Atlas do Scoileanna na hÉireann* a cheadú freisin. Tugtar in FP freisin liosta de theangacha an domhain (516). Chun an t-eolas is déanaí faoi logainmneacha iasachta agus faoi theangacha nua, is leor glaoch ar an gCoiste Téarmaíochta.

Cad é cúram an CT mar sin? Téarmaí coibhéiseacha a sholáthar, is é sin le rá téarmaí a bhfuil ciall chúng chomh teicniúil sin acu nach féidir go mbeadh amhras ann ina dtaobh. D'fhéadfaí a mhaíomh go bhfuil *casúr* ina choibhéis ag 'hammer' ach níl, óir is féidir briathar a dhéanamh de i mBéarla. Is as an tuiscint atá ag an aistritheoir don teanga a thiocfaidh sé ar an tuiscint don fhocal is coibhéiseach agus an focal nach é.

Nuair atá aistriúchán teicniúil le déanamh mar sin, is iad na téarmaí atá socraithe ag na saineolaithe, ag na cleachtóirí nach mór a úsáid. Tá réimse na dtéarmaí teicniúla sin i nGaeilge an-teoranta. Baineann siad leis an seansaol, cúrsaí sláinte, an talmhaíocht agus mar sin de. Deir Desmond Fennell (1981: 9) go bhfuil an tsaíocht sin i mbaol freisin. Dar leis:

> ... a huge loss of vocabulary occurred when the craft industries largely disappeared from the countryside ... the technical vocabularies connected with all of these (coopers, nail-makers, sail-makers, weavers, tailors, cobblers) and other crafts are completely gone, and nothing equivalent has replaced them. Most of the new technical terms are the raw English words, not even phonetically Gaelicised. Similarly with the disappearance of herbal medicine and its practitioners, a huge wealth of medical and botanical terms has gone... as one linguistic register after another is lost or torn to shreds, the language becomes a wounded thing, a less and less efficient instrument for that representation or experienced reality which is language's basic function.

Beidh a réim féin ag focail mar *eitinn* nó *imdhíonadh* go ceann i bhfad ach cad faoi théarma mar *griothalroiseadh* nó *scoradán ciorcaid talamhligin* in FCT? Tá na téarmaí sean agus nua á soláthar ag an CT ach níl siad á bhfoghlaim ná a gcleachtadh ná a dtástáil in aon áit, agus mar bharr ar an donas titeann a bhformhór sa linn sin éiginnteachta i ngramadach na Gaeilge nuair nach fios an aidiacht, nó briathar, nó ainmhfocal atá le forléiriú nó le hinfhilleadh nó le tuiscint. Fillfimid ar an bhfadhb seo i gCaibidil 7. Nuair atá téarmaí éagsúla á gceapadh i bhfoclóirí éagsúla don téarma céanna Béarla, ba cheart an éagsúlacht sin a mhíniú agus níl aon mhíniúchán is fearr is féidir a dhéanamh ná na foclóirí uile a thiomsú in aon mhórfhoclóir amháin. B'fhiú comhfhoclóir amháin féin a fhoilsiú ina dtabharfaí na cásanna maille le comhthéacs agus samplaí nuair nach leor téarma coibhéiseach amháin i nGaeilge chun raon iomlán na gciall sa Bhéarla a chuimsiú. Ní mór caolchúis na teanga ó thaobh téarmaíochta de a athbheochan ar ais nó ar éigean agus tá dualgas ar an aistritheoir é féin a oiliúint sa chaolchúis sin. Tá friotal na ríomhaireachta trí chéile i ngach teanga cé is moite den Bhéarla, b'fhéidir. Tá téarmaí nua á síorcheapadh agus ag dul i léig sula gcuirtear eolas orthu. Tá téarmaí eile a mhaireann fós nuair ba cheart dóibh dul i léig agus dhá nó trí nó ceithre théarma ar an láthair don aon choincheap amháin. Is i réimse na ríomhaireachta gan amhras a bheidh na deacrachtaí is achrannaí le sárú.

Tá an CT ann chun tabhairt faoi na deacrachtaí sin agus chun réiteach réasúnta a mholadh. Ní mór don aistritheoir géilleadh don réiteach sin; más léir dó tar éis tamaill, áfach, nach é an réiteach is fearr é, ba chóir dó a amhras faoi a chur in iúl don CT agus a mholadh féin a dhéanamh. Ach ní fiú don CT raidhse téarmaí a scaipeadh ar an ngaoth mura bhfuil aon duine, aistritheoir nó iriseoir nó múinteoir, ag baint feidhm astu agus mura bhfuil na téarmaí sin ag teacht chun cruinnis faoi threoir na húsáide. Agus níor cheart dó ach oiread ionad an aistritheora a ghabháil. Soláthraíonn sé téarmaí teicniúla nua ach níor cheart dó obair an aistritheora a dhéanamh thar a cheann trí théarmaí atá sna gnáthfhoclóirí a chur ar fáil dó nó abairtí nach abairtí teicniúla in aon chor a aistriú dó, abairtí mar 'sufficient degree of punishability' nó 'guide dog' nó 'Government unemployment assistance schemes' nó 'argued policy option papers'; is fadhbanna don aistritheoir iad nach mór a réiteach sa chomhthéacs ina bhfuil siad. Ní téarmaí teicniúla dáiríre iad.

B'fhiú don CT cuireadh a thabhairt d'aistritheoirí leaganacha dá gcuid a chur faoina bhráid chun go bhféadfaí iad a scaipeadh ar aistritheoirí eile nó iad a fhoilsiú i leabhrán mar áis d'aistritheoirí eile. B'fhearr don CT gan aon téarma a sholáthar nach bhfuil dáiríre ina théarma teicniúil i gcomhthéacs éigin. Sa chás sin, toisc gur téarma teicniúil é gach téarma de chuid an CT, ba chomhaonad é agus bheadh sé do-athraithe go gramadúil i gcónaí ach amháin nuair is gá é a chur san iolra. Ní dhéanfaí aon infhilleadh eile air. D'amharcfaí mar sin ar aon téarma dá chuid mar a d'amharcfaí ar fhocail an tsoiscéil. Ní theastódh ansin, chun smacht éigin a chur ar théarmaíocht na Gaeilge, ach an t-aistritheoir eolas a chur ar na foclóirí uile agus úsáid chuí a bhaint astu.

Ábhar machnaimh.

• Cad iad na príomhdheacrachtaí atá le sárú i gcúrsaí téarmaíochta agus an féidir bealaí a shamhlú chun a chinntiú go mbainfí leas as na foclóirí téarmaíochta?

• An ceird í an téarmaíocht freisin agus cad é mar is féidir ceachtanna na ceirde a chur i gcion ar an gcleachtadh?

Foinsí eolais

Brainse Logainmneacha na Suirbhéireachta Ordanáis *Gasaitéar na hÉireann*, BÁC, 1989. (Tugann sé clár cuimsitheach dátheangach de phríomhainmneacha geografacha na hÉireann.)

Brainse Logainmneacha na Suirbhéireachta Ordanáis *Liostaí Logainmnecha*. (Sraith ina dtabharfar foirmeacha oifigiúla Gaeilge na mbailte fearainn, na bparóistí agus na mbarúntachtaí móide logainmneacha tábhachtacha eile i ngach contae. Ar fáil cheana tá *Cill Chainnigh, Lú, Luimneach, Muineachán, Port Láirge*, agus *Uíbh Fhailí*.)

Breathnach, Colm 'Spléachadh ar Obair na Téarmaíochta', in *Teangeolas*, 32, 1993, 17-24. (Tugtar liosta iomlán ag deireadh an ailt de na foclóirí de chuid an Choiste Téarmaíochta a d'fhoilsigh an Gúm.)

Breathnach, Colm 'Gnó an Choiste Téarmaíochta agus Obair an Iriseora', in Nic Eoin, Máirín/Mac Mathúna, Liam, 38-44.

de Bhaldraithe, Tomás 'Nóitíní ar Staid Inmheánach na teanga', in *Teangeolas,* 32, 1993, 25-28.

Eolaí Póca. (Sraith arna foilsiú ag an nGúm; tá cur síos mion sna heolaithe seo ar an dúlra mar atá sé inár dtimpeall, mar aon le míniúchán soiléir, agus an téarmaíocht bheacht a ghabhann leis na hainmhithe, bláthanna fiáine is coitianta, froganna agus feithidí, a d'fheicfeá sna bailte nó cois farraige, sna coillte agus sna cathracha, gan trácht ar spéir na hoíche agus iontais na haimsire.)

Carraigeacha agus Mianraí, 1996
Cladach agus Farraige, 1996
Crainn, 1996
Feithidí, 1996
Mamaigh, 1996
An Aimsir, 1996
Éin, 1996
Bláthanna Fiáine, 1997
Dúile Fionnuisce, 1997
Sliogáin, 1997
Madraí, 1997
Biaphlandaí, 1997
Réaltaí agus Pláinéid, 1997
Luibheanna Leighis, 1997

Fennell, Desmond 'The Last Years of the Gaeltacht', in *The Crane Bag*, 5, uimh. 2, 1981, 8-10.

Flanagan, Deirdre agus Flanagan, Laurence *Irish Place Names*, BÁC, 1994.

Murphy, Eileen *Eacnamaíocht Bhaile na hArdteistiméireachta*, (arna aistriú ag Caoimhín Ó Ceallaigh), BÁC, 1998.

Nic Eoin, Máirín/Mac Mathúna, Liam eag. *Ar Thóir an Fhocail Chruinn*, BÁC, 1997.

Ní Dheirg, Íosold 'Glór gan Chabhair Choigríche?: Smaointe ar Théarmaíocht na Gaeilge agus ar Ról na Nua-Iasachtaí' in *Teangeolas*, 30-31, 1992, 12-15.

Ó Curraoin, P.L. *Féara agus Bánta Éireann*, BÁC, 1991.

Ó Droighneáin, Muiris *An Sloinnteoir Gaeilge agus an tAinmneoir*, BÁC, 1991 (eagrán nua).

Ó hÓgáin, Éamonn 'Téarmaí Teicniúla sa Ghaeilge: Caighdeánú agus Ceapadh le Céad Bliain anuas', in *Teangeolas*, 17, 1983, 27-39. (Cur síos cuimsitheach ar an dóigh inar forbraíodh an téarmaíocht ón tús; tagairt don iarracht téarma amháin a cheapadh do choincheap amháin ach deirtear ag an deireadh nach bhfuil 'aon staidéar déanta ar an méid de na téarmaí teicniúla a cuireadh ar fáil a bhfuil glactha leo ar leibhéil éagsúla sa teanga'. San aguisín a ghabhann leis an alt seo tugtar liosta cuimsitheach de na foclóirí teicniúla ar fad a cuireadh ar fáil ó 1928 i leith; tá formhór na luathfhoilseachán as cló le fada ach is féidir corrcheann a fháil fós ar aonach leabhar.)

Ó Luineacháin, Daithí *Ó Ghlíomáil go Giniúint*, BÁC, 1997. (Mionchuntas ar théarmaíocht na collaíochta.)

Ó Ruairc, Maolmhaodhóg *Ó Chómhargadh go hAontas*, BÁC, 1994. (Tá gluais ag deireadh an tsaothair ina dtugtar na haistriúcháin, maille le míniúchán in amanna, ar na téarmaí is coitianta san Aontas Eorpach; tugtar liosta freisin de na giorrúcháin is minice a úsáidtear.)

Ó Siadhail, Mícheál *Téarmaí Tógála agus Tís as Inis Meáin*, BÁC, 1978.

Sager, Juan *A Practical Course in Terminology*, Amsterdam, 1990.

Teangeolas, 32, 1993. (Eagrán speisialta ar 'An Ghaeilge Bheo i 2000 A.D.')

Uí Bhraonáin, Donla 'Obair an Téarmeolaí i Réimse an Staidéir Ghnó', in Nic Eoin, Máirín/Mac Mathúna, Liam 49-54.

Uí Chonchubhair, Máirín *Flóra Chorca Dhuibhne*, Corca Dhuibhne, 1996.

Williams. Nicholas *Díolaim Luibheanna*, BÁC, 1993. (Cur síos cuimsitheach léannta maille le léaráidí gleoite ar luibheanna leighis na hÉireann, an stair a bhaineann leo agus éifeacht a n-úsáide; tá foclóirín agus innéacs ag deireadh an leabhair.)

Feic freisin na foclóirí éagsúla ón gCoiste Téarmaíochta atá liostaithe faoi Noda i dtosach an leabhair seo.

Caibidil 5
Téacsanna Dlí a Aistriú

Dúirt Séamas Daltún ...

Bíonn 'ceangal na gcúig gcaol' ar an aistritheoir a bhíonn ag gabháil do scríbhinní dlí, go háirithe i gcás achtanna agus ionstraimí reachtúla. Caithfidh sé cloí go dlúth leis an leagan amach atá ar an mbuntéacs.

Ní féidir leis abairtí fada a bhriseadh, agus ní mór dó gach idiraisnéis san abairt a chur san ionad is cuí di ó thaobh céille nó treise. Is minic nach mbíonn sé furasta an Ghaeilge a ionramháil ar dhóigh go n-éireoidh le duine dlúthaistriú cruinn a dhéanamh gan ró-éigean a imirt uirthi.

Tá téacsanna dlí á n-aistriú go Gaeilge in Éirinn ó bunaíodh an Stát. Nuair a tugadh isteach Bunreacht na hÉireann i 1937 tugadh tús áite don leagan Gaeilge. Is aisteach dá n-ainneoin sin gur beag eolas atá ag an ngnáthGhaeilgeoir ar theanga an dlí agus gurb annamh a baineadh úsáid as an nGaeilge os comhair na gcúirteanna. Sin an fáth gan amhras gur chinn an rialtas agus é ag iarraidh aontú don Chomhphobal Eorpach i 1972 nár ghá lánaitheantas a éileamh don Ghaeilge mar theanga oibre.

Ba leor a raibh ar siúl mar aistriúchán ar théacsanna dlí ag baile agus gan aird á tabhairt ag scoláire ná scológ orthu. Is amhlaidh atá an scéal fós. Gach acht a ritheadh i nDáil Éireann ó thús an stáit, rinneadh é a aistriú go Gaeilge. Tá siad go léir ann. Is tiomsachán as cuimse oibre é. Léiríonn sé níos fearr b'fhéidir ná aon réimse oibre eile sa nuaGhaeilge na hathruithe a tharla ar an teanga le seachtó bliain anuas, an forás téarmaíochta, an caomhantas comhréire, na teorainneacha nár mhiste a bhriseadh agus na geasa arbh éigean a shárú. Ach tá an saothar sin ar fad ina luí gan aird gan aire air, gan innéacsú ná grinnbhreathnú déanta air, amhail pirimid na hÉigipte, lán deataigh agus gainimh.

Ní hé sin an t-aon fhaillí a rinneadh. Is é an trua nár éirigh linn mar Ghaeilgeoirí an teanga a chur á húsáid sna cúirteanna mar tá teanga dlí gach tíre i dtuilleamaí na gcúirteanna chun brí na bhfocal agus na dtéarmaí a léirmhíniú. Dá mbainfí úsáid as an nGaeilge sna cúirteanna bheadh soiléireacht den scoth agus comhchuibheas iomlán ag teastáil sna téacsanna. Ní hionann soiléireacht ná loighic an dlí agus soiléireacht agus loighic an ghnáthdhuine, ach ní féidir leas a bhaint as dlí mura féidir ciall a bhaint as an téacs. Is trua nach ndearnadh iarracht riamh éifeacht dlí a cheistiú toisc go raibh téacs na Gaeilge easnamhach, neamhshoiléir, débhríoch. Is féidir athbhrí i dtéacs dlí a chosaint más é sin intinn an rialóra nó mura bhfuil sa téacs ach macalla de théacs a bhí ann cheana nó más athbhrí pholaitiúil atá ann dáiríre (mar a tharlaíonn go minic i gcomhthéacs na hEorpa). Is é an cheist atá le cur anois ar fágadh forás na téarmaíochta chomh fada sin gan forléiriú oifigiúil a dhéanamh air agus an bhfuil an seachmall téarmaíochta chomh dona sin nach féidir é a cheartú.

Féach mar shampla an dóigh ina bhfuil téacsanna a bhaineann leis an eiseachadadh agus an t-athrú atá ann i gcomórtas leis an téacs bunaidh atá san *Acht um Eiseachadadh*, 'Extradition Act' (1967) a dtugtar sliocht as ar lch. 107 thíos, mar aon le roinnt teideal gaolmhar. Tarlaíonn athbhrí de thaisme. Tig le cúirt athbhrí a aimsiú nuair nár ceapadh go raibh a leithéid ann. Níor cuireadh an Ghaeilge faoin triail sin riamh. Tá a shliocht air.

> 'Treaty on Exradition', *Conradh maidir le hEiseachadadh*; 'Convention relating to extradition', *Coinbhinsiún a bhaineann leis an eiseachadadh*; 'European Convention on Extradition', *Coinbhinsiún*

Eorpach um Eiseachadadh; 'Convention on simplified extradition procedure', *Coinbhinsiún maidir le nós imeachta simplithe eiseachadta*, (is aidiacht é 'simplithe' nach ionann a ról san abairt agus an ról atá ag 'eiseachadta'); (feic freisin an dá shampla inchomórtais seo a leanas: 'European Convention on the Suppression of Terrorism', *Coinbhinsiún Eorpach chun Sceimhliú a dhíchur*; 'Schengen Agreement on the gradual abolition of checks', *Comhaontú Schengen maidir le seiceálacha a dhíothú de réir a chéile)*; 'person whose extradition is requested', *an duine a n-iarrtar a eiseachadadh*; 'a person who has been extradited', *duine a eiseachadadh*; 'the person extradited', *an duine eiseachadta*, 'identity of the person extradited', *céannacht an duine atá á eiseachadadh*, 'extradition of nationals', *náisiúnaigh a eiseachadadh*; 'extraditable offences', *cionta ineiseachadta*; 'for the purposes of extradition', *chun críocha eiseachadta*; 'extradition arrangements' *socruithe um eiseachadadh*; 'conditions for extradition', *na coinníollacha eiseachadta, na coinníollacha don eiseachadadh*; 'extradition documents', *cáipéisí eiseachadta*, 'extradition procedures', *nósanna imeachta eiseachadta*, 're-extradition', *atheiseachadadh*.

Ach más é is cúis leis an doiléire drogall úsáidirí na teanga soiléireacht ina friotal féin a bhaint amach, ní fearr aon chóras chun an t-easnamh a chur ina cheart ná an córas dlí. Teastaíonn ón gcosantóir earraíocht a bhaint as aon drochdhréachtadh ar mhaithe lena chliant, teastaíonn ón ionchúisitheoir aon droch-dhréachtadh a sheachaint chun nach n-éalóidh an ciontóir ó réimeas an dlí agus teastaíonn ón gcúirt féin ceartas agus cruinneas agus trédhearcacht a hoibríochta féin a chinntú mar tá an córas féin ag brath air. Is mionphointí iad na difríochtaí sin, botúin chló féin b'fhéidir, ach tá tromhchúis an dlí bunaithe ar mhionphointí. Cuirtear toghairm ar ceal má tá drochlitriú ann, má tá camóg nó fleiscín ar iarraidh; cad é a dhéanfaí leis an earráid atá ina cuid dhílis den teanga agus scoláirí na teanga á formheas. Tá tábhacht leis an aimsir cheart fiú. Mar a dúirt an Chúirt Uachtarach le déanaí (30.7.97):

> Section 27 referred to events in the present or which had occurred in the past. There was no reference to future events. The clear omission of the reference to future events was consistent with a legislative intention to give to the planning authority powers in relation to future events, but to limit to the public the right to intervene only in present or established events. (*The Irish Times*, 2.8.97)

Níor tharla aon chonspóid ach ar éigean mar gheall ar an nGaeilge os comhair na gcúirteanna ó bunaíodh an stát agus nuair a tharla ba é seasamh na Gaeilge féin nó mionphointe míniúcháin a bhí ina chnámh spairne. Níor cuireadh ceist riamh faoi chruinneas ná faoi chiall aon téacs a aistríodh i Rannóg an Aistriúcháin thar mar ar cuireadh le tríocha bliain anuas faoi na haistriúcháin atá arna ndéanamh sa Bhruiséil. Leag Séamas Daltún (1965) na treoirlínte agus na bunphrionsabail síos ag tús na seascaidí agus is fiú cloí leo siúd de ghnáth nuair atá reachtaíocht le haistriú. Ní mór aird a thabhairt freisin ar shoiléireacht na teanga. Ní leor don aistritheoir na fadhbanna teicniúla agus doiléire na teanga a shárú, caithfidh an chiall a bheith soiléir. Sin gné d'obair an aistritheora nach mór don aistritheoir a rialú go pearsanta.

Is doiciméad ar leith é an doiciméad dlí. Tá téarmaíocht an dlí á tabhairt chun foirfeachta agus chun míneadais le cianta d'aimsir, an oiread sin go bhfuil miontábhacht le gach litir agus le gach focal, leis an bponcaíocht féin. Is amhlaidh a bhí i ngach teanga.

Is cuimsithí agus is caolchúisí an téarmaíocht sin i mBéarla ná in aon teanga eile b'fhéidir toisc go bhfuil cúirteanna uile an Bhéarla ar fud na cruinne ag roinnt a gcríonnachta agus a saíochta le chéile. Is beag neamhspleáchas atá ag cúirt ar bith áit ar bith maidir le téarma ar bith a fhorléiriú más téarma é a bhfuil ársaíocht ag gabháil leis. Tugtar an bhrí theicniúil i reacht agus déanann na cúirteanna an bhrí sin a chúngú nó a fhairsingiú go dtí go n-aimsítear an bhrí shonrach. Toisc nár tharla an cineál sin snoíodóireachta sa Ghaeilge, deir Séamas Daltún nach bhféadfadh an té a d'úsáidfeadh leagan Gaeilge ar dhlí-théarma teicniúil i scríbhinn dhlíthiúil a bheith cinnte 'go n-aontódh an chúirt gur thug an leagan Gaeilge brí an téarma bunaidh Béarla leis'. Tá fiúntas an dlí sna mionphointí.

An téacs teicniúil dlí an téacs seo a leanas?

There is not a crime, there is not a dodge, there is not a trick, there is not a swindle, there is not a vice which does not live by secrecy. Get these things out into the open, describe them, attack them, ridicule them in the press, and sooner or later public opinion will sweep them away. Publicity may not be the only thing that is needed, but it is the one thing without which all other agencies will fail.

- Joseph Pulitzer

Níl cion ná cúinse ann, cleas ná caimiléireacht ná níl duáilce ann nach bhfuil beo ar an rúndacht. Tabhair amach faoi bhéal an aeir na nithe sin, déan tuairisc orthu, déan ionsaí orthu, déan fonóid fúthu sna nuachtáin agus luath nó mall scuabfaidh meon an phobail as an mbealach iad. B'fhéidir nach é an phoiblíocht an t-aon ní is gá, ach is é an t-aon ní amháin nach n-éireoidh leis na gléasanna eile dá huireasa.

Baineann an fhadhb sin le 'terms/words of art', *saintéarmaí* ach go háirithe. Ní mór coibhéis chruinn an téarma a úsáid má tá sé ann, agus an téarma sin amháin. Ach ní mór aird ar leith a thabhairt ar gach focal i gcáipéis dlí. Is beag saoirse atá ag an aistritheoir. Ní mór gach focal a aistriú. Is féidir a rá ar bhealach go bhfuil gach focal i gcáipéis dlí ina fhocal teicniúil. Is teanga ar leith í teanga an dlí. Is ionann agus béarlagair é ach is béarlagair nach ceadmhach a dhíspeagadh. Bhí ar dhlíodóirí riamh anall an teanga a bhí á úsáid acu a dhéanamh chomh soiléir agus ab fhéidir.

De réir a chéile d'eascair teanga a bhfuil gach cleachtóir ar aon aigne faoi; ní féidir bheith ag cleachtadh an dlí gan chur amach ar an teanga sin. Is tábhachtaí an teanga ná ábhar an dlí féin mar sainíonn an teanga teorainneacha an dlí. Agus is teangeolaí gach dlíodóir toisc go gcaithfidh sé an teanga a úsáid go cáiréiseach. Caithfidh siad a bheith cáiréiseach ar dhóigh nach gcaithfidh dochtúirí nó innealtóirí.

Chun na deacrachtaí praiticiúla teanga a shárú i gcás na Gaeilge cuireadh Coiste Comhairleach um Théarmaí Dlíthiúla Gaeilge ar bun sna daichidí agus ceapadh breithiúna, abhcóidí agus aturnaetha cleachtacha mar aon leis an bPríomh-Aistritheoir ó Rannóg an Aistriúcháin ina mbaill de. Ritheadh an tAcht Téarmaí Dlíthiúla Gaeilge ag dearbhú, le hordú, cad iad na téarmaí dlí i nGaeilge is coibhéiseach de na téarmaí Béarla.

Socraíodh go mbeadh an téarma Gaeilge, ach é a bheith sonraithe in ordú mar sin, ar comhbhrí, ar comhfheidhm agus ar comhéifeacht leis an téarma bunaidh. De dheasca na n-orduithe sin a rinneadh sna caogaidí foilsíodh tiomsachán díobh in *Téarmaí Dlí* (TD) i 1959. Ar an drochuair tá an cnuasach sin as cló le fada agus ní dhearnadh aon atheagrán bíodh is go bhfuil an t-uafás téarmaí nua ann anois i gcomparáid le 1958. I bhfreagra sa Dáil i mí Samhna 1996 tugadh le tuiscint nach raibh cruinniú den Choiste Comhairleach seo ann ó 22 Samhain 1985. Ach is cinnte go raibh neart cruinnithe aige idir 1959 agus 1985 agus gur faomhadh liacht saintéarmaí. Ar an drochuair ní fios dúinn an fíor sin agus, más fíor, cad iad na téarmaí a faomhadh.

Ach tá na téarmaí sin coisricthe i láthair an dlí. Is é an deacracht arís anseo nach bhfuil FGB ar aon intinn go minic le TD maidir le litriú na dtéarmaí; fágtar fleiscín amach in FGB mar shampla nuair atá fleiscín in TD (*foghailbhrabúis* < *foghail-bhrabúis*) nó a mhalairt (*dí-shainoidhrigh* < *díshainoidhrigh*); tá malairt aigne ann faoin séimhiú, *toghairm finné* in FGB (*toghairm fhinné* in TD) agus *tionóntacht bhéil* in FGB ach *tionóntacht béil* in TD. An mbeadh an chúirt sásta le ceachtar den dá leagan? Ós rud gur cuireadh an dá shaothar i gcló ó foilsíodh an CO (deirtear in TD (iv): 'cuireadh i gcomhréir leis an gcaighdeán ... leaganacha a bhí ar neamhréir leis'), níl aon treoir againn faoi cé acu ceann is údarásaí, ach ní mór tús áite a thabhairt go loighciúil, maidir le litriú de, do FGB.

Níl reachtaíocht an Oireachtais ar aon dul le TD i gcónaí ach oiread. Tá *díospóid trádála* ar trade dispute' in TD (agus in FSG) ach tá *aighneas ceirde* in 29/87/18. Tá *Comhar Ceardchumann na hÉireann*, 'Irish Congress of Trade Unions', in 16/81/58, cé go bhfuil *Comhdháil na gCeardchumann* in FSG ar leathanach 13. Deirtear in TD agus FGB go gciallaíonn *cothromasach*, 'equitable' i gcomhthéacs dlí, ach in FSG níl na treoracha maidir leis soiléir. Ní thugtar *cothromasach* in aon chor taobh na Gaeilge agus tugtar *cothrom* taobh an Bhéarla ar 'equitable'.

Sna samplaí a thugtar faoi cheannfhocail eile, áfach, tá *sannadh cothromasach*, 'equitable assignment', agus *leas / lian / morgáiste cothromais*, ar 'equitable interest/ lien/mortgage'. In aon sampla amháin, *dáileadh cothrom ioncaim*, 'equitable distribution of income' atá *cothrom* ceart cruinn mar aistriúchán ar 'equitable' de réir na samplaí in FSG. An bhfuil *dáileadh cothrom ioncaim* ina abairt dlí? Níl sé soiléir.

Tá neamhréireacht freisin idir FGB agus an reachtaíocht. Tá *éiglíocht* sa reachtaíocht ar 'infirmity'. Ní thugtar in FGB ach *téiglíocht*, agus 'faintness', 'languidness' mar aistriúchán air. Ach bhí *éiglíocht*, 'infirmity' sa Duinníneach agus roimhe sin in DIL. Is amhlaidh le *éislinn(each)*, 'handicapped', ciall nach dtugtar in FGB mar a bhfuil 'weak, vulnerable spot', 'defect', 'flaw', mar atá sa Duinníneach agus in DIL. Agus ní thugaim ansin ach roinnt samplaí. Cad é an stádas dlí atá ag focal/téarma atá le fáil i mBunreacht na hÉireann, in acht de chuid an Oireachtais nó i ndoiciméad de chuid an Aontais Eorpaigh, mar sin? An leor é a bheith i ndoiciméad dlí agus an doiciméad sin a bheith rite chun é a bheith coisricthe? Ní bheadh ansin ach gnáthriail an aistriúcháin, nach n-athraítear téarma má tá taithí ag an bpobal air i gcomhthéacs ar leith. Ní dócha go bhfuil aon stádas i dtaca le dlí de ach ag na téarmaí a eisíonn an tAire Dlí agus Cirt le hordú á rá gur téarma coibhéiseach a leithéid i nGaeilge den téarma Béarla. Is é sin le rá nach mbeadh iallach ar aon chúirt glacadh le haon téarma nach bhfuil in TD. Thiocfadh leis an gcúirt (an chúirt féin ar a tionscamh féin, nó ar iarratas ón gcosantóir, ón gearánaí nó ón stát) a mhaíomh nach dtugann an leagan Gaeilge brí an téarma bunaidh Béarla leis.

B'fhiú amharc ar roinnt samplaí. Cad é a tharlaíonn nuair atá focal mar 'abate'; tugtar in TD 'abate/ abatement (of legacies)', *laghdaigh/laghdú*, agus ar 'abatement (of proceedings)', *dul ar ceal*; faightear, áfach, aistriúcháin éagsúla den abairt chéanna, 'the proceedings shall not abate by reason of such substitution (or addition)' mar a leanas: *ní rachaidh na himeachtaí ar ceal de bhíthin an ionadaithe sin*, nó *ní rachaidh na himeachtaí ar ceal mar gheall ar aon chur-in-ionad den sórt sin*, nó *ní thitfidh na himeachtaí ar lár mar gheall ar an ionadú* (nó *ar an gcur-leis sin)*, nó *ní rachaidh na himeachtaí ar ceal mar gheall ar an gcur in ionad sin*. An gciallaíonn sé sin nach focal teicniúil dlí é a thuilleadh, nó nach téarma teicniúil dlí é 'substitution'?

Léiríonn na samplaí eile seo as téacsanna údarásacha dlí an dóigh ina roinntear leis an téarma 'certify': 'certifying doctor', *an dochtúir deimhníochta*; 'a notarially certified copy of that power', *cóip arna deimhniú ag nótaire den chumhacht sin*; 'resolution certified by the Chairman of the House', *rún faoi theastas Chathaoirleach an Tí*, (Bunreacht, 33.5.2°); 'the Taoiseach certifies by messages in writing', *seolann an Taoiseach teachtaireachtaí scríofa á dheimhniú* (Bunreacht 24.1); 'certified as being a true copy', *deimhnithe gur cóip dhílis é*; 'issue a certificate certifying and the certificate shall be conclusive evidence of the facts so certified', *deimhniú a eisiúint á dheimhniú agus is fianaise dhochloíte ar na fíorais a dheimhnítear amhlaidh an deimhniú*; 'translation into English or Irish of the account which has been certified in the prescribed manner to be a correct translation must have been delivered to the Registrar', *ní foláir tiontú go Béarla nó go Gaeilge ar an gcuntas agus é deimhnithe ar an modh forordaithe gur tiontú ceart é chun bheith seachadta ar an gcláraitheoir*'. Is fiú a shonrú nach bhfuil *deimhníocht* in FGB ach tá *deimhniúchán*, '(act of) certification'. Feictear ansin an fhadhb atá sa Ghaeilge maidir le *deimhnigh* nó le haon fhocal á bhfuil an fhréamh sin leis: e.g. *fíordheimhniú*. In 33/63/100 tugtar *fíordheimhniú doiciméad* nó *fíordheimhniú ar dhoiciméad,* ar 'authentification of documents' agus in 268/65/46, tugtar *cóipeanna de na doiciméid agus iad fíordheimhnithe* ar 'copies of all documents authenticated'. Ach cad é mar a dhéantar 'authentification signal' agus 'authentified signal' a idirdhealú. An *comhartha fíordheimhniúcháin* nó *fíordheimhníochta* é an chéad cheann, agus *comhartha fíordheimhnithe*, an dara ceann?

Agus an doiciméad dlí á aistriú aige, caithfidh, gan amhras, an t-aistritheoir aird a thabhairt ar an bhfoclóir agus ar an gcomhthéacs. Is féidir glacadh leis mar riail ghinearálta go bhfuil beagnach gach focal i dtéacs dlí ina shaintéarma. Má fhaigheann sé tagairt do *bail emphytéotique* i bhFrainics, ní fiú bheith ag smaoineamh ar *banna eimfitéatach*. Is saintéarma é a chiallaíonn 'long lease' nó 'hereditary lease' i mBéarla. D'fhéadfaí *léas fada* a thabhairt air ach gan aon chinnteacht go mbeadh an chúirt ar aon aigne faoi sin. Is fiú amharc ar na 'gnáthfhocail' nach gnáthfhocail iad i dtéacs dlí. An gnáthfhocail nó focail neamhtheicniúla iad na focail seo a leanas a bhfuil líne fúthu?

> It would dispose of the contentious issue between the parties as to whether the concerts should go ahead in a peremptory, irreversible and final manner without any plenary hearing.

Tá siad uile le fáil in TD ach amháin 'irreversible' agus is dócha nach féidir an dara ciall a aimsiú dó ach *nach féidir dul siar air,* mar atá in EID. Is ionann an toradh go minic agus an rud ar a dtugtar 'an Ghaeilge oifigiúil' nó 'Gaeilge an mhaorlathais'. Ach sin mar atá an dlí i ngach teanga agus ní féidir leis an nGaeilge coincheapa an dlí a chlúdach ach ar an mbealach 'maorlathach, oifigiúil' céanna. Deir Séamas Daltún:

> Bhí 'an Ghaoluinn Oifigiúil' ina hábhar magaidh ag roinnt daoine ar dtús. Ní raibh taithí acu ar bhéarlagair an dlí a fheiceáil faoi chulaith Ghaeilge agus fuair siad blas róchanúnach ar an nGaeilge a bhí a húsáid. Ba dheacair don fhoireann a bhí ag gabháil don aistriúchán san am leagan maisiúil Gaeilge a chur ar chaint chrua chasta na reachtanna ... Ní raibh leabhair thagartha ann ... Bhíodh orthu téarmaí a cheapadh faoi bharr dithnis de ghnáth.

Mar a tharlaíonn i ngach doiciméad teicniúil, is téacs nach mbaineann leis an dlí go díreach cuid mhór de ach ní mór an chuid sin a aistriú ar dhóigh fhoirmiúil freisin. Is féidir a bheith cinnte má úsáidtear gnáthfhocal i dtéacs dlí nó i gcaint ag dlíodóir/ breitheamh go bhfuil an ghné theicniúil ar a aigne aige. Má deirtear nach ceadmhach 'to frustrate the purpose of the text', ní leor 'críoch an téacs a shárú/a chur ó mhaith'; ní mór TD a cheadú agus 'críoch an téacs a dhírathú' a rá. Is fearr bheith rófhoirmiúil más téacs dlí atá á aistriú. Feic an sampla seo as breithiúnas cúirte a foilsíodh in *The Irish Times* (12.4.1997), mar a bhfuil líne faoi na téarmaí nach mór a aistriú mar théarmaí dlí, is é sin iad a aistriú go litriúil:

> The statute imposed a <u>function</u> on him, not a <u>duty</u> or a <u>power</u>. The <u>statute</u> conferred a public professional function on the <u>Attorney General</u> which <u>created</u> no <u>relationship</u> between him and the <u>victims</u> of the <u>crimes</u> referred to in the <u>warrants</u> he was <u>considering</u>. In the absence of any relationship between the <u>plaintiff</u> and the Attorney General, I must <u>hold</u> that the Extradition Acts <u>imposed</u> no <u>common law</u> <u>duty of care</u> on the Attorney General <u>in relation to</u> the plaintiff. Even if there had been a <u>sufficient</u> relationship of <u>proximity</u> between the Attorney General and the plaintiff ... it would be <u>contrary</u> to <u>public policy</u> to impose a duty of care on the Attorney General.

Tugann an breitheamh le tuiscint nach ionann 'function', 'duty' agus 'power'. Tá na focail uile a bhfuil líne fúthu le fáil i gceann amháin nó eile de na foclóirí teicniúla. *Gaolmhaireacht* a thugtar ar 'relationship' in FSG (*gaol* ar 'relation' agus *caidreamh* ar 'relations' agus tá *cóngas pósta* ann freisin ar 'marital relationship'), ach cad is ceart a thabhairt ar 'victim'? Is ar éigean má tá *duine atá thíos leis* láidir go leor. B'fhiú *íobartach* a úsáid. Is ionann 'I must hold' agus *is é mo thuairim (de réir fhíorais an cháis).*

Toisc nach cánacha ná pionós airgid atá faoi réir ag 'impose' is é *forchuir* an téarma cruinn. *Dlí coiteann* atá ar 'common law' (TD). Toisc gur coincheap atá i gceist le 'sufficient relationship of proximity', ní mór gach cuid de a aistriú: *leordhóthanach*, 'sufficient', *gaol-mhaireacht* mar a bhí cheana, agus cad faoi 'proximity'?

Ní thugtar aon fhocal in aon cheann de na foclóirí ach tá neart comhchiallach ann sa Ghaeilge, *cóngar, foisceacht, neasacht.* B'fhiú b'fhéidir saol nua a thabhairt do *neasacht* i gcomhthéacs dlí. (B'fhéidir go mbeidh 'proximity talks' ann i gcomhthéacs an Tuaiscirt gan mhoill; *cainteanna neasachta*?)

Feic mar shampla eile an sliocht seo as ráiteas míniúcháin a thug an Cathaoirleach ar an bhFiosrúcháin (Dunnes). B'fhéidir nach téacs dlí é sa chiall is bunúsaí ach is téacs údarásach atá á dhéanamh ag breitheamh agus is léir éirim cainte an dlíodóra ag rith tríd:

> ... the tribunal team had, of necessity, to follow a variety of leads and investigate a variety of matters, persons and accounts in order to uncover information which is relevant to its work. Of necessity, this meant that the tribunal team became aware of information and was given documents which, after further investigation, transpired not to be relevant to its terms of reference ... parties who submit documents, or who may be referred to in documents submitted by other parties have a legitimate interest in ensuring that confidential or sensitive information, whether of a commercial or other nature, which is not relevant to the terms of reference of the tribunal, is not made public or available for public scrutiny, either now or at any time in the future.

Is fiú a mheabhrú go bhfuil fadhbanna gramadaí agus comhréire le seachaint freisin ag an aistritheoir nuair atá téacs dlí idir lámha aige. Is fiú amharc ar roinnt samplaí as fógra eile de chuid an rialtais a foilsíodh sa dá theanga oifigiúla díreach roimh an reifreann i dtaca le bannaí. Dála an scéil is inspéise an éagsúlacht leaganacha den teideal a bhí ann. Ní fhaca mé in aon áit ach an t-aon leagan Béarla amháin, 'referendum on a proposal to amend the Constitution in relation to bail'; *reifreann maidir le togra chun an Bunreacht a leasú i dtaca le bannaí* a bhí san fhógra poiblí ach bhí le fáil sa Ghaeilge freisin, *maidir le bannaí.*

San fhógra féin tá tagairt don *ráiteas faoin gcás i bhfabhar an leasaithe bheartaithe bunreachta* (*i bhfabhar an leasú bunreachta atá beartaithe)* agus in áit eile tá, *Tá an leasú beartaithe chun an staid sin a leigheas* (*is é is aidhm don leasú bunreachta)* agus arís tá *nuair a bheartaigh (d'airbheartaigh) breitheamh an prionsabal sin a shárú*, 'when a judge purported to breach this principle'. Tá 'propose', 'intend' (*is é is aidhm do*) agus 'purport' (*airbheartaigh*) faoin gcaipín céanna, beartaithe. An féidir a cheapadh ón gcomhthéacs ansin nach é an *leasú beartaithe* céanna atá faoi chaibidil sa dá chás? Tá nós nua le feiceáil san aistriúchán freisin: *gur dócha go ndéanfaidh an cúisí coir thromaí má thugtar bannaí dó nó di; ní láithreoidh an cúisí dá thriail nó dá triail; cuirfidh sé nó sí isteach ar fhinnéithe; go dtí go gcruthaítear go bhfuil sé nó sí* (i. gach duine neamhchiontach) *ciontach*. B'fhusa forainm a fhágáil san inscne ina bhfuil an t-ainmfhocal. An bhféadfadh bean a chruthú nach raibh sí clúdaithe dá ndéarfaí, *ní láithreoidh an cúisí dá thriail* go háirithe nuair atá *nuair a bheartaigh breitheamh, i gcás os a chomhair* sa téacs. Múnla an Bhéarla atá á leanúint ansin mar is léir nach bhfuil forainm comhghnéasach ann sa Bhéarla. Is ceist ghramadaí an-suimiúil í. Dá ndéarfaí mar shampla: *nuair a tháinig an cúisí os comhair na cúirte bhí a máthair ina teannta*, ní gá /*ina theannta* a chur leis óir tá gnéas an chúisí soiléir ón *máthair* neamhshéimithe. Dá mba chaint dhíreach é: *labhair an cúisí agus dúirt: 'is é mo mháthair atá ciontach'*, tá an chiall caillte arís, áfach. Tríd is tríd ní gá an dá fhorainm a úsáid ach amháin má tá dhá ainmfhocal, e.g. *má thugann cúirt nó binse breithiúnas i gcás atá os a comhair nó os a chomhair*. Tá gá leis an athrá sa chás sin toisc nach bhfuil sé soiléir gur leor *os a comhair* chun an tagairt don bhinse a chlúdach. Ach más do *duine* nó *cúisí* atá an tagairt, is cinnte gur díomhaoin an t-athrá.

Tá *meastar le réasún* ann, ach tá *is beart réasúnach an togra seo* agus *coinníollacha míréasúnacha* ann chomh maith, nuair is 'reasonable/ reasonably/ unreasonable' atá i gceist. De réir FGB agus FF, is ionann *réasúnach* agus 'rational' sa chéad áit. Tá *ag fanacht lena dtriail* agus *ag feitheamh lena thriail nó lena triail*. Tá *cúisí*, 'the accused' ann de ghnáth, agus tá *gach duine cúisithe*, 'every accused' ann freisin; tá *láithreoidh an cúisí don triail* agus *láithreoidh cúisí ag an triail*; tá *glactar leis go bhfuil gach duine*, 'every person is presumed', agus *má ghlactar leis an leasú*, 'if the amendment is passed'; tá *i bhfabhar an leascithe bheartaithe bunreachta*, tá *bunphrionsabal den cheartas é, idir bhunreachtúil agus nádúrtha* agus *diúltú neamhbhunreachtúil*; tá *ábhar idé-eolaíochta* agus *díobháil síceolaíochta*. Tá tagairt don *Choinbhinsiún Eorpach um Chearta an Duine*, 'European Convention on Human Rights' ach *de réir caighdeán nua-aimseartha idirnáisiúnta maidir le cearta daonna*, 'in line with international standards in regard to human rights'. I dtaca le téarmaíocht de tá 'the long track record' ag tagairt an iarraidh seo do dhuine a bhí ciontach go minic i gcoireanna; *i gcás stair fhada a bheith ag an gcúisí maidir le coireanna tromaí a dhéanamh* a thugtar nuair ba leor b'fhéidir *má bhí an cúisí gafa go minic le coireanna tromaí a dhéanamh.*

Is aisteach an Béarla nuair atá tagairt do na breithiúna/cúirteanna agus tá an Ghaeilge chomh haisteach céanna in amanna. Tugtar *ní bheadh cead ag cúirt é sin a chur san áireamh*, 'a court would be prohibited from taking that into account'. Ní hionann *ní bheadh cead ag duine* agus 'prohibit'. Ar 'this wider discretion is needed because of the way judges' hands are tied by the present outdated law', tugtar *tá gá le rogha níos leithne mar go bhfuil ceangal ar na breithiúna mar gheall ar an dlí seanchaite láithreach.* Is léir gur tubaisteach an íomhá 'judges' hands are tied' sa chomhthéacs seo ach b'fhearr i bhfad *tá lámha na mbreithiúna ceangailte* a rá óir tugann *tá ceangal ar* i gcomhthéacs dlí le tuiscint go bhfuil oibleagáid i gceist. Déantar *tá ceangal air*, 'he is required' a idirdhealú ó *tá iallach air*, he is obliged. Ar 'the standard and quality of proof required ... is as yet undefined', tá *níl aon mhíniú ann fós maidir lé caighdeán agus cáilíocht an chruthúnais a bheidh ag teastáil* (nuair ab fhearr 'define' a aistriú le *sainigh).* Tá éiginnteacht maidir le 'and is subsequently found not guilty' sa Ghaeilge, *agus go gcinntear go bhfuil sé nó sí neamhchiontach ina dhiaidh sin*, toisc an áit a bhfuil an dobhriathar.

Ba shoiléire é a chur i ndiaidh an bhriathair agus fós briathar eile a úsáid, *agus ina dhiaidh sin go bhfaightear neamhchiontach é.* Tá míthuiscint ann freisin maidir le *clann* a úsáid chun 'family' a aistriú (*teaghlach* is fearr) agus tá ró-aistriúchán ann san abairt 'it is impossible to apply the test of beyond reasonable doubt to a crime that has not been committed', *níl sé indéanta prionsabal an amhrais réasúnaigh a fheidhmiú maidir le coir nach ndearnadh.* Ba leor *ní féidir* a rá ag an tús, agus b'fhearr *a chur i bhfeidhm* in ionad *feidhmiú* (ciallaíonn *feidhmiú*, 'exercise' - (*cumhachtaí a fheidhmiú*) i gcomhthéacs dlí); b'fhearr an *prionsabal maidir leis an amhras réasúnta* a rá freisin. (Os a choinne sin, ní thugtar aon aistriúchán in aon chor ar 'remand centres or hostels are required today to redress this injustice'). Tá 'makes common sense' agus 'is a matter of common sense' ann agus *is beart ciallmhar é* agus *baineann sé le gnáthchiall* mar aistriúchán orthu.

Tá 'to keep persons in prison' agus 'where a person has been kept in prison', á n-aistriú le *daoine a choinneáil i bpríosún* agus *i gcás duine a bheith faoi choimeád*. Tugtar 'confined' ar *faoi choimeád* in áit eile. Leantar cuid mhór de na rialacha a bhaineann le téacs dlí a aistriú sa sliocht sin ach ní leantar iad chomh docht agus ba cheart.

Is é meon na Gaeilge a léirítear sa sliocht sin, an meon idir eatarthu, a thugann leagan amháin inniu agus leagan eile amárach, a dhéanann go bhfuil *Ciste Sóisialta na hEorpa* agus *Ciste Sóisialach na hEorpa* ann, *Ciste Forbraíochta Réigiúnaí na hEorpa* agus an *Ciste Eorpach Forbartha*, *sláinte an phobail* inniu agus *an tsláinte phoiblí* amárach ach *sláinte an duine* i gcónaí (mura mbeidh *an tsláinte dhaonna* ann amárach), an meon céanna a dhéanann nach eol dúinn an ionann *imeachtaí dlí* agus *imeachtaí dlíthiúla*, an gá go bhfuil imeachtaí dlí 'dlíthiúil' i gcónaí, agus nuair atá siad *dlíthiúil* an bhfuil siad *dleathach*? (Ní sa Ghaeilge amháin a tharlaíonn sé seo. Sna Náisiúin Aontaithe tá dhá leagan i mBéarla den aon leagan Fraincise: 'Convention on Contracts for the International Sale of Goods' agus 'Convention on International Contracts for the Sale of Goods').

Tá mearbhall aigne chomh mór sin i measc Gaeilgeoirí i gcoitinne go bhfuil an míniúchán contráilte tugtha go húdarásach in *Ciste Cúrsaí Reatha*. Deirtear ansin gurb ionann agus *dlíthiúil*, 'ceadaithe nó aitheanta ag an dlí', nó 'lawful', agus gurb ionann agus *dleathach*, 'bunaithe ar an dlí, de réir dlí seachas de réir na córa, ag baint le gairm an dlí', nó 'legal'. Is é a mhalairt atá fíor. Is é an míniúchán a thugtar in FBg (gan aon Bhéarla ar ndóigh): *dleathach*, 'de réir dlí, ag teacht le dlí, ceart, cóir' agus *dlíthiúil*, 'a bhaineann le dlí, bunaithe ar dhlí, dleathach (*argóint dhlíthiúil*), tugtha do dhul chun dlí'. Ach níl aon amhras in TD: *dleathach*, 'lawful' agus *dlíthiúil*, 'legal'.

Tá FGB ábhairín trí chéile maidir leo. Ach má tá TD soiléir faoin idirdhealú idir 'legal' agus 'lawful', téann sé chun doiléire arís maidir le 'illegal', *neamhdhleathach*, agus 'unlawful', *neamhdhleathach*. Tá FGB níos loighciúla sa chás seo mar deirtear go gciallaíonn *neamhdhleathach*, 'unlawful', 'illegal' acu go gciallaíonn *neamhdhlíthiúil*, 'non-juridical', 'illegal'. Tugtar *aindleathach* in TD ar 'illicit' ach deir FGB gur 'illegal' (arís!) an chiall atá leis agus tugann FSG *iomaíocht neamhcheadaithe* ar 'illicit competition'. Is fiú aird a thabhairt ar théarma eile a úsáidtear san abairt 'natural or legal person', *duine nádúrtha nó dlítheanach*. Is ionann an duine dlítheanach i láthair an dlí grúpa daoine nó comhlacht nó gnóthas a bhfuil stádas (cearta agus dualgais) aige i láthair an dlí nach bhfuil ag an duine aonair. Tá tagairt sa Phrótacal ar Reacht Chúirt Bhreithiúnais an Comhphobal Eorpach do Ghual agus Cruach do *saoire breithiúnta*, 'judicial vacation', ach ní gá an téarmaíocht a tharraingt chomh fada sin. Tá traidisiún cianársa ag an dlí sa Ghaeilge agus ba mhór an trua é dá loicfí ar an traidisiún sin toisc leisce an aistritheora.

Sampla eile is ea an sliocht seo as breithiúnas a tugadh san Ard-Chúirt a léiríonn na constaicí atá le sárú:

> Where there is evidence that a person no longer intended to return to reside permanently in the country

> where he or she is domiciled, the domicile of choice is thereby abandoned. Unless that intention can be shown there is no abandonment.
> The applicant had acquired an English domicile of choice which she had not abandoned and accordingly her Irish domicile of origin had not revived ... a domicile of origin is obtained at birth and a domicile of choice may be acquired by a combination of residence and intention to permanent or indefinite residence. Women used to acquire a domicile of dependency on marriage.

Tá trí chineál 'domicile' i gceist agus is léir ón gcomhthéacs féin nach ionann 'domicile' agus bheith i do chónaí in áit. *Sainchónaí* atá ar 'domicile' in TD; tá na saintéarmaí le haimsiú chun na trí chineál a shainiú toisc nach dtugtar a thuilleadh eolais. Is dócha go bhféadfaí *sainchónaí rogha* nó *roghshainchónaí*, *sainchónaí tionscnaimh*, 'domicile of origin' (tá *deimhniú tionscnaimh*, 'certificate of origin' agus *tír thionscnaimh*, 'country of origin' in FSG) agus *sainchónaí cleithiúnais*, 'domicile of dependence'. Is fearr *cleithiúnas* ná *spleáchas* nó *tuilleamaí* óir tá *cleithiúnaí* in TD ar 'dependent'. Ní mór gach focal a bhfuil líne faoi a aistriú mar shaintéarma. Níl aon deacracht le 'evidence', 'permanent', 'abandon(ment)', 'residence' mar is ionann an téarma teicniúil agus an gnáth-théarma. Ní mór a rá go raibh sé *ar intinn ag an duine* agus ní mór 'show' a aistriú freisin mar ní mór a *thaispeáint* go raibh an intinn ann. Tugtar *athbheoigh* in TD ar 'revive' agus níl fágtha mar théarma teicniúil ach 'indefinite'. B'fhearr *neamhchinnte* ná *éiginnte* óir is soiléire nach é codarsna *cinnte* atá i gceist ach *tréimhse gan chríoch*. Níl fágtha mar fhadhb ach 'a combination of residence and intention to ... residence'. Níl aon téarma dlí i gceist seachas *cónaí* ar 'residence', ach breitheamh ag caint mar bhreitheamh. Ní gá téarma coibhéiseach a aimsiú do 'combination' mar ní 'combination' atá i gceist dáiríre. Níl ann ach urlabhra phostúil chun a rá go bhfuil *cónaí* air san áit sin agus go bhfuil sé ar *intinn* aige fanacht ansin go buan nó go neamhchinnte. Is é *agus,* mar sin, an focal Gaeilge is fearr chun 'combination' a aistriú sa chomhthéacs seo.

Is fiú a lua mar aguisín leis an gcaibidil seo nach fearr a éiríonn le pobail eile feidhm dlí a thabhairt don dara teanga. Bíodh is go bhfuil an soláthar ann sa chóras dlí sa Bhreatain Bheag chun cásanna a éisteacht trí Bhreatnais, níor baineadh feidhm as an gceart Breatnais a úsáid i dtrialacha agus in achomhairc i 1981 ach i seacht gcás as 3,312. Nuair a cuireadh dlíodóirí faoi scrúdú le déanaí sa Bhruiséil chun cáilíocht a fháil maidir lena gcumas sa dara teanga náisiúnta agus chun an ceart a fháil a slí bheatha a fheidhmiú sa teanga sin, níor éirigh ach le 7% de lucht na Fraincise agus le 12% de lucht na Pléimeannaise.

Ábhar machnaimh.

- Cén fáth, an dóigh leat, go bhfuil sé chomh deacair sin aon chineál leanúnachais agus comhchuibhis a chur i gcrích maidir le húsáid saintéarmaí dlí sa Ghaeilge?
- Cad é mar is féidir brí nua a thabhairt do thraidisiún na Gaeilge i gcúrsaí dlí?
- An bhfuil taithí fós ag lucht na Gaeilge ar bhéarlagair an dlí, agus mura bhfuil cad é is cúis leis an aineolas?

Foinsí eolais

Andrews, J.A./Henshaw, L.G. 'The Irish and the Welsh languages in the Courts' in *The Irish Jurist*, 18, cuid 1, 1983, 1-22.

Daltún, Séamas 'Traduttore, Traditore', in *An tUltach*, Márta, 1965, 3-5.

Daltún, Séamas 'Scéal Rannóg an Aistriúcháin', in *Teangeolas*, 17, 1983, 12-26.

McGonagle, Marie *A Textbook on Media Law*, BÁC, 1996. (Tá gluais de théarmaí dlí mar aguisín ann, cuid mhór as TD ach corrcheann nua freisin.)

Ó Cianáin, Cormac 'Sráideanna agus Saíocht', in *Comhar*, Samhain, 1986, 14-16.

Ó Máille, Tomás *Stádas na Gaeilge - Dearcadh Dlíthiúil (The Status of the Irish Language - a Legal Perspective)*, BÁC, 1990. (Cur síos inspéise ar an tábahcht a bhaineann leis an teanga i gcúrsaí dlí.)

Prút, Liam 'Cúrsaí Aistriúcháin an Stáit', *in Irisleabhar Mhá Nuad*, 1996-97, 226-259. (Scéal Rannóg an Aistriúcháin ón tús; roinnt samplaí -is é a locht a laghad- de bhuntéarmaí 'ceangail', 244-245, mar aon le mioneolas ar an bhfoireann agus ar a cuid gníomhaíochtaí a d'fhág a rian ar an nGaeilge ó bunaíodh an Stát.)

Caibidil 6
Fógráin

Níl aon ghné d'obair na Gaeilge a chuirfeadh míshástacht agus éadóchas ar dhuine faoi riocht na teanga ná an cineál Gaeilge a fheictear sna gnáthfhógráin a fhoilsítear ar na nuachtáin náisiúnta. Go fiú na teidil féin tá siad earráideach: *Gníomhaireacht do Chomharc* (sic) *na Bochtaine*, ar Combat Poverty Agency, nuair is ceart *Gníomhaireacht chun an Bhochtaineacht a Chomhrac.*

Ba cheart i gcónaí in aon fhógrán poiblí an ceannfhocal in FGB a úsáid agus na malartí leagain a sheachaint. Is cinnte nach gcuirtear i gcrích príomhchúram an aistritheora, téacs soiléir sothuigthe a chur ar fáil, ach ina theannta sin is léir gur daoine a bhfuil smeareolas amháin acu ar bhuneilimintí na Gaeilge atá ina mbun go minic, gur breac an t-eolas atá acu ar litriú na Gaeilge agus nach bhfuil an dara duine páirteach sa ghnó chun earráidí an chéad duine a cheartú.

Is suimiúil freisin nach ndearnadh an fógra mór faoi Bhinse Fiosrúcháin Dunnes (a foilsíodh a chéaduair mí Feabhra 1997) a cheartú nuair a athfhoilsíodh é i mí Aibreáin.

Tá na botúin chló fós ann. Is deacair dá bhrí sin torthaí na bhfógrán a mheas ar bhonn na teanga de; ba dheacra i bhfad éifeacht na bhfógrán maidir le gnáthchuspóirí fógróirí a mheas.

Is cosúil gur cuma leis na fógróirí drochGhaeilge nó a mhalairt a bheith ann; níl ar a n-aire acu ach a ndea-thoil don teanga a chur in iúl. Níl an sampla thuas (Dunnes) ina eisceacht. Bhí an fógrán ceannann céanna seo a leanas ar an nuachtán céanna dhá uair as a chéile ach leagan eile ar fad air an dara huair:

Tá an Aonad Pleanála agus Foirgníochta a bhfuil freagracht tríd is tríd air as pleanáil agus as cóiríocht shásúil scoile a chur ar fáil tríd earnáil an oideachais ar cheann de phríomhréimsí oibríochta na Roinne.

Ceann de na limistéir feidhme is mó tábhacht sa Roinn is ea an tAonad Pleanála agus Tógála a bhfuil cúram iomlán air maidir le cúrsaí pleanála agus maidir lena chinntiú go bhfuil cóiríocht shásúil ann tríd an earnáil Oideachais ar fad.

Is ar éigean má tá aon téarma mar an gcéanna ó fhógrán go chéile. Tá tuilleadh samplaí in aghaidh na seachtaine. Feic *sna réimsí fisiciúla, sóisialta, eacnamaíocha agus cultúrtha* arna leasú an chéad lá eile go dtí *réimsí Fisiceacha, Sóisialta, Eacnamaíochta agus Cultúir*. Is féidir na samplaí seo a roinnt ina dhá chuid: na cinn atá i ngach fógrán, agus na cinn eile.

Ar na cinn atá i ngach fógrán nach mór tá na malairtí leagain seo a leanas: *teastas nó a chomhionann de cháilíocht, cáilíocht chomhionannach, céim nó a comhionann san, céim nó a cothrom sin, an cháilíocht nó a comhionann, cáilíocht den tsamhail chéanna, nó a hiontamhail ; tá polasaí comhionannais aige, tá sé tiomanta do bheartas comhdheiseanna, tá sé tiomanta do bheartas comhdheise, is fostóir comhdheiseanna, is fostóir comhionannais deiseanna, is fostóir comhdheisíochta; taithí chruthaithe ar bhainistíocht shinsearach, taithí in oibríochtaí, taithí mhúinteoireachta, taithí shaotharlainne, taithí maidir le hoideachas a scaipeadh sa phobal inmhianaithe; ar a n-áirítear, lena n-áirítear; páirtnéireacht, páirtíocht; eagrúcháin, eagraíochtúil; comhairleach, comhairl-eoireachta, comhairlitheach, comh-chomhairleachta, comhairliúcháin; eagrais imshaoil, caomhnú comhshaoil; coiste fiosraithe, coiste fiosrúcháin*. Ar na cinn ar leith tá leithéidí: *an Stiúrthóir um Fheidhmiú*

Iomaíochta, deis do dhuine feidhmiú mar chatalaíoch chun tuilleadh forbartha a dhéanamh ar an ngealladh atá sa chathair. An í an teanga chéanna í?

B'fhiú taighde a dhéanamh ar na comhlachtaí agus institiúidí (seachas comhlachtaí stáit) a dhéanann fógráin a fhoilsiú go tráthrialta chun a fháil amach cad é an fáth atá leis agus an meastar go mbíonn torthaí ar a gcuid iarrachtaí. Is cosúil nach bhfuil aon aird á tabhairt orthu ag lucht na Gaeilge maidir le teanga de, pé scéal é. B'fhearr i bhfad cruth agus cuspóir na bhfógrán ach iad a bheith curtha i láthair ar dhóigh tharraingteach agus is ionann an tarraingteacht agus an tsoiléire agus an tsothuigse.

Is deacair aon mhíniúchán a thabhairt ar an neamhaird agus ar an neamart seo ach go bhfeictear don aistritheoir nach díol suime d'éinne na fógráin chéanna, go bhfuil siad á léamh i mBéarla a mhéad is ábhartha iad do lucht a léite agus nach bhfuil iontu maidir leis an leagan Gaeilge de ach ornáid nó maisiúchán nó fimíneacht, amhail an Ghaeilge féin gan amhras.

Cén fáth a bhfuil fógrán ar leathanach amháin ón 'Roinn Leasa Shóisialta' agus fógrán ar leathanach eile den nuachtán céanna an tseachtain chéanna ón 'Roinn Leasa Shóisialaigh'? An ionann iad? Tá fógrán ón Roinn Dlí agus Cirt ag tagairt do *Coiste Athbreithnithe um Chúnamh Dlíthiúil Coiriúil* agus ina luaitear an gá atá le *scrúdú a dhéanamh ar fhéidearthacht córas eile Cúnaimh Dhlíthiúil Choiriúil a chur ar fáil, go sonrach, chun Scéim Chosantóra Poiblí a thabhairt isteach* agus tá trácht ar *Coiste de chuid na Roinne Leasa Shóisialaigh a bhfuil forbairt córais chomhtháite seirbhísí sóisialaigh á scrúdú acu*.

Fad a thuigtear níos fearr dóibh ná mar a thuigtear do lucht léite an fhógráin cad é atá i gceist! Cé air a bhfuil an locht má tá an ceart ag an aistritheoir? Is cuma, is suarach an mhaise don aistritheoir a d'amharcfadh ar shaothar dá chuid ar an dóigh amscaí sin. An bhfuil an coiste féin le hathbhreithniú nó an é an coiste a dhéanann an t-athbhreithniú. Ba cheart go mbeadh teacht ag an aistritheoir ar réiteach toisc gurb é an *Coimisiún um Athchóiriú an Dlí* atá ann; cad é atá cearr le *Coiste um Chúnamh Dlí Coiriúil a athbhreithniú*?

Bhí sé fhógrán le hais a chéile ar leathanach amháin tráth agus bhí na téarmaí céanna a bheag nó a mhór i ngach ceann acu. Ní raibh le déanamh ach cloí leis na téarmaí céanna nuair a bhí siad mar an gcéanna agus iad a leasú nuair ba ghá sin. Bheadh a leithéid rófhurasta i gcás na Gaeilge.

Sin an fáth go bhfuil *ag bainistiú na rannóg*, 'managing the departments' ach *taithí mhaith i mBainisteoireacht*, 'a proven track record in management', *taithí sa bhainisteoireacht*, 'experience in management', *taithí chuí sa bhainisteoireacht*, 'relevant experience in management'; tá *teicneolaíocht an eolais*, 'information technology' ach *seirbhís eolais*, 'information service'; fágtar 'good communications skills' agus 'effective communications skills' gan aistriú in áit amháin cé go dtugtar *scileanna maithe idirphearsanta* agus *scileanna éifeachtacha cumarsáide* orthu in áit eile; tá *cumas chun foireann a spreagadh* ar 'ability to motivate' (cé nach n-aistrítear i gcónaí an abairt sin) ach fágtar 'be self motivated' gan aistriú.

Caithfidh an té atá i mbun fógráin a aistriú go Gaeilge aird ar leith a thabhairt ar an léitheoir. Baineann an t-aistriúchán ó thús deireadh le ciall. Mura bhfuil sé ciallmhar, is drochaistriúchán é. Níl dul thairis sin.

Ní gá comparáid a dhéanamh leis an téacs sa bhunteanga; ní gá amharc air fiú. Mura bhfuil an t-aistriúchán soiléir, mura dtig leis an léitheoir ciall a bhaint as, tá drochobair déanta ag an aistritheoir. I dtaca le fógráin de, ní mór don aistritheoir tús áite a thabhairt do riachtanais an léitheora. Is cumarsáid atá i gceist i bhfógráin ach go háirithe. Tá an fógróir ar a dhícheall a theachtaireacht speisialta féin a chur i gcion ar an léitheoir.

Ní mór don aistritheoir mar sin cur chuige cumarsáideach a úsáid. Is é sin le rá gur téacs dea-scríofa, comair, cruinn atá san aistriúchán is cuma cé chomh doiléir dothuigthe atá an buntéacs agus caithfidh an t-aistritheoir é a chur in oiriúint, maidir le teanga agus le cultúr de, do thuiscint an léitheora.

Tá neart cúiseanna ann le míthuiscint an léitheora a mhíniú. Fad nach bhfuil milleán na míthuisceana le cur ar an aistritheoir ní gearánta dó. Má úsáidtear téarma nach eol don léitheoir agus nach bhfuil le fáil in aon fhoclóir, ní mór é a mhíniú. Má úsáidtear téarma nach gá a úsáid agus nach eol don léitheoir cé go bhfuil a mhalairt de théarma ar eolas ag an ngnáthléitheoir toisc go bhfuil teacht air i bhfoclóir aitheanta agus a bheadh chomh coibhéiseach céanna, tá an locht ar an aistritheoir.

Má úsáidtear téarma amháin ag tús an fhógráin agus a mhalairt de théarma ar an bhfocal ceannann céanna ar ball, tá an locht ar an aistritheoir. Ní hé gnó an aistritheora ciall an léitheora a mhearú ach a mhalairt. Má athraíonn an t-aistritheoir (nó an comhlacht nó an institiúid - ach is é an difear go bhfuil gach ceart acu siúd focal/téarma nua a úsáid chun cuspóri éigin eile a bhaint amach) an téarma ó fhógrán go chéile, is comhartha é sin nach eol dó cad é atá ar bun aige, agus is air atá an locht.

Tá tagairt déanta agam in *Dúchas na Gaeilge* do roinnt téarmaí a úsáidtear níos minice ná a chéile i ngnáthfhógráin fostaíochta (223-226) agus nach bhfuil aistritheoirí ar aon aigne mar gheall orthu ach níl iontu siúd ach an fíorbheagán. Níltear ar aon aigne faoi théarmaí mar 'candidate' gan trácht ar 'successful candidate'.

Feictear fógráin ón bhfoinse chéanna a fhoilsítear dhá sheachtain as a chéile nó a fhoilsítear uair amháin nó dhá uair sa bhliain agus é athraithe ó bhun go barr. An é gur cuma cén cruth atá ar an nGaeilge, nó gur cuma leis an aistritheoir, nó gur cuma leis an gcomhlacht nó an bhfuil na haistritheoirí éagsúla ina gcónaí i gcianchearnaí na cruinne agus toirmeasc orthu gan dul i dteagmháil le chéile? Nó an comhartha ríshoiléir an neamart seo ar shíocóis dhomhain i measc lucht na Gaeilge nach fiú ruainneog olla a thuilleadh an iarracht chun an Ghaeilge a chur ar ais ar a bonnaí mar theanga láidir intuigthe.

Deirtear go dtig le haistritheoir a intinn a athrú míle uair faoi abairt áirithe. Is ag tagairt do théacs tromchúiseach fealsúnta nó liteartha atáthar mar a mbíonn an leagan is déanaí ag brath ar an ngiúmar atá air. Maidir le fógrán de, nuair nach féidir de ghnáth ach an t-aon chiall amháin a lonnú ann, is leor cuimhneamh ar an téarmaíocht a úsáidtear de ghnáth, an téarmaíocht chéanna a úsáid ó thus deireadh agus Gaeilge shoiléir a chur air.

Níl dóigh is fearr chun fadhb an fhógráin a phlé ná sampla a thabhairt. Feicfimid san fhógrán seo na deacrachtaí go léir a bhaineann leis an gceird agus cuid mhaith de na constaicí nach miste a sheachaint.

Nature Conservation

The National Parks and Wildlife Service invites applications from suitably qualified persons to undertake a temporary work contract in the research branch of the Service ... The successful applicant will be based in Head Office and will be required to assist in the ... Service designation programme including the designation of National Heritage Areas, Special Areas of Conservation and Special Protection Areas.

The principal duties of the successful applicant will be:
° to collect and collate the results of monitoring and other surveys and to perform other allied duties.
° to undertake, manage and conduct ecological survey and mapping of Natura 2000 sites and other areas relevant to nature conservation.
° to train survey staff and to organise surveys.
° to provide expert advice on designated and other sites of conservation interest.
Applicants must have a degree in natural sciences or equivalent and experience in ecological survey or nature conservation management.
The successful applicant will be obliged to furnish a current Tax Clearance Certificate from the Revenue Commissioners.
This contract is co-funded through the Life-Nature programme.

Caomhnú Nádúir

Tá iarratais á lorg ag an tSeirbhís Pháirceanna Náisiúnta agus Fiadhúlra ó dhaoine a bhfuil an cháilíocht chuí acu le tabhairt faoi chonradh sealadach oibre sa Rannóg taighde den tSeirbhís ... Beidh an t-iarrthóir éiritheach lonnaithae (sic) san (sic) Phríomh-Oifig agus beidh sé mar dhualgas air/uirthi bheith rannpháirteach i gclár ceapacháin na Seirbhíse Pháirceanna (sic) ... ina mbeidh ceapachán na gCeantar Náisiúnta Oidhreachta, na gCeantar Speisialta Chaomhnaithe (sic) agus na gCeantar Speisialta Chosanta (sic) san áireamh.
Ar phríomh-dhualgais (sic) an iarrthóra rathúil, beidh:
°torthaí na monatóireachta agus suirbhéanna eile a bhailiú agus a chóimheas, agus dualgais chomhaontacha eile a chomhlíonadh;
°tabhairt faoi shuirbhé eiceolaíoch agus léarscéalaíocht (sic) na láithreán Natura 2000 agus limistéar eile a bhfuil tábhacht chaomhnaithe acu, a dhéanamh agus a

riaradh (sic).
°foireann suirbhé a oiliúint agus suirbhéanna a eagrú.
°comhairle shaineolach (sic) ar na láithreáin chaomhnaithe agus ar láithreáin eile a bhfuil tábhacht chaomhnaithe leo, a sholáthar.
Ní foláir céim san eolaíocht nádúrtha nó a comhbhrí bheith ag na hiarrthóirí, agus taithí acu ar an tsuirbhéireacht eiceolaíoch nó ar riaradh an chaomhnaithe nádúir.
Beidh ar an iarrthóir rathúil Teastas Glanta Cánach Reatha ó na Coimisinéirí Ioncaim a chur ar fáil.
Tá an conradh seo á chomh-mhaoiniú (sic) tríd an gClár Beatha-Nádúr.

Má fhágaimid na botúin chló as an áireamh agus an ródhúil sa séimhiú agus má amharcaimid ar an téacs mar aistriúchán amháin, is é an príomhlocht go bhfuil sé rólitriúil nuair nach gá. D'fhéadfaí a rá faoi *foireann suirbhé a oiliúint agus suirbhéanna a eagrú*, go bhfuil sé ina aistriúchán lom beacht ar an mBéarla, ach cad is ciall le 'survey team'?
An ionann é agus 'team of surveyors' nó 'team' chun 'suirbhéanna a dhéanamh'? Más féidir an athbhrí a mhaitheamh i mBéarla, ní féidir i nGaeilge mar tá an iomad atbhrí ag neadú san abairt. Tugtar leid sa chuid eile den abairt. Ní hamháin go gcaithfidh sé na suirbhéanna a eagrú ach caithfidh sé daoine a oiliúint chun iad a dhéanamh. Tuigtear an *foireann suirbhé* i bhfianaise an Bhéarla ach b'fhearr *lucht déanta suirbhéanna* a rá.
Tá 'undertake' ann faoi dhó. Aistrítear le *tabhair faoi* gach uair é ach an ionann an dá chás? Os a choinne sin cé gurb ionann 'the successful applicant' i gcónaí athraítear é ó *éiritheach* go *rathúil*. (B'fhearr *iarrthóir buach* a rá más gá aidiacht a fháil ach *an té a cheapfar* a deirtear de ghnáth, gan aon tagairt do bhua ná do rath).

Maidir le 'allied' ba shoiléire *gaolmhar* a rá, agus is *riar* an t-ainmfhocal briathartha agus ní *riaradh*. (Is botún an-choitianta é sin). Tugtar *ceantar* i gcás amháin agus *limistéar* ar 'area' i gcás eile agus tá an-deacrachtaí ag gabháil leis an bhfocal *caomhnú*. Cad é mar is féidir aon chiall eile a bhaint as an abairt, *ceapachán na gCeantar Speisialta Chaomhnaithe* agus *na láithreáin chaomhnaithe* ach 'the conserved areas' nó 'the conserved sites', ach ní thig liom aon chiall a bhaint as an abairt *tabhairt faoi shuirbhé eiceolaíoch agus léarscéalaíocht (sic) na láithreán Natura 2000 agus limistéar eile a bhfuil tábhacht chaomhnaithe acu, a dhéanamh agus a riaradh*.

Tá an chéad chuid ceart go leor ach an bhfuil camóg ar iarraidh i ndiaidh *eiceolaíoch*? An *léarscáilíocht a dhéanamh agus a riar* atá i gceist, leagan nach bhfreagraíonn in aon chor don Bhéarla, 'manage and conduct'. Ní hionann *riar* agus *bainistíocht*, agus más *déan* atá ar 'conduct', tá sé san ord mícheart. Maidir le 'designate' sa chéad mhír, tugtar *limistéar sainithe* ar 'designated area' in FSG.

Tugtar *teastas taisce cánach* ar 'tax reserve certificate' in FSG, agus tugtar *imréiteach* ar 'clearance'; dá bhrí sin ba cheart *teastas imréiteach cánach* a bheith ann.

Ach is é an laige is mó ar an téacs mar aistriúchán nach n-úsáidtear an focal simplí, e.g. *aon dualgaisí* (recte *dualgais*) *a dháilfear*, nuair ab fhusa *tabhair* a rá, *a bhfuil tábhacht chaomhnaithe acu*, nuair ab fhusa *limistéir eile a bhaineann le caomhnú an nádúir*, *comhairle a sholáthar* in ionad *comhairle a thabhairt*, agus ar deireadh an abairt dhoiléir, *tá an conradh seo a chomh-mhaoiniú tríd an gclár Beatha-Nádúr*, nuair ab fhearr *tá an conradh seo á mhaoiniú ag an gclár Beatha-Nádúr i gcomhpháirt le chéile*. Ní mór an bhunriail a chur i bhfeidhm ó thús go deireadh, an teanga a bheith soléite soiléir, an teachtaireacht á nochtadh gan athbhrí agus fiosracht a spreagadh iontu siúd a bhfuil an fógrán dírithe orthu.

Ní hé gnó an aistritheora an téacs a dhéanamh níos doiléire ach é a dhéanamh níos soiléire. Cé air a bhfuil an locht má tá an téacs aistrithe doiléir dothuigthe? Má tá an locht ar an téacs in amanna tá an locht freisin ar an aistritheoir. Is é gnó an aistritheora a bhealach a dhéanamh tríd an gceo agus solas na céille a aimsiú ann. Bíonn tromábhar maorlathach sna fógráin seo go minic. Béarlagair a bhíonn iontu de ghnáth, téarmaí ardnósacha mar dhea a thugann le fios go bhfuil cur amach ar phríomhchoincheapa an tsaoil ag an té a chuireann inár láthair iad. Is leor amharc ar *The Irish Times* Dé hAoine chun an teanga aduain a fheiceáil. Ní thig leis an mBéarlóir fostaíocht a thairiscint don phobal gan tabhairt le fios go bhfuil cáilíochtaí an-tábhachtacha ag teastáil don phost suntasach. Ach níl sa bhéarlagair ach cur i gcéill. Bhí an abairt seo i bhfógrán don Gharda Síochána:

> As part of the selection process candidates will be required to undergo a written assessment conducted by the Civil Service Commission in September next. Those securing highest placing on the result of this assessment will be called for further assessment including competitive interview

> Mar chuid den phróiseas roghnaithe, beidh ceanglas ar rannpháirtithe measúnú scríofa a dhéanamh, rud a bhéas (sic) á reachtáil ag Coimisiún na Státseirbhíse an Mheán (sic) Fómhair seo chugainn. Iad siúd a bhfaigheann (sic) an áit is airde mar thoradh ar an measúnú seo, glaofar iad le haghaidh measúnaithe bhreise, an t-agallamh iomaíochta san áireamh.

Amharc ar an mBéarla. Cad is ciall le 'process', 'require', 'undergo', 'conduct', 'secure' san abairt? Is doiligh a rá mar níl iontu ach *téarmaí neamhbhríocha,* 'weasel words' mar a deirtear i mBéarla.

Níl aon fhocal is coitianta in Éirinn le tamall anuas ná 'process', 'peace process', 'talks process', 'consultation process', 'negotiations process', 'learning process' agus mar sin de, nuair nach bhfuil i gceist ach *síocháin, cainteanna, caibidlíocht, oiliúint*; ní gá an téarma a aistriú de ghnáth. B'fhearr don té a scríobh *próiseas seo lárnú na cumhachta* na coincheapa a shoiléiriú ina aigne sular thug sé faoina leithéid. Ní fhéadfá bheith ag tromaíocht ar an té a bhí ag súil *nach ligfear don tóin titim as an phróiseas arís*! Deirtear go bhfuil *súiche ar thóin an phota*; cad é a déarfaí faoi phróiseas nach raibh tóin ná súiche ann? Is amhlaidh le 'level': cad é atá ráite san abairt *foirmliú an dlí ag leibhéil bhaile agus idirnáisiúnta*, nach fearr a déarfaí *an dlí baile agus idirnáisiúnta a fhoirmliú?* Tá neart téarmaí eile mar sin ann i mBéarla, 'catalyst', 'syndrome', 'proportion' ('a shock of seismic proportions') atá á dtiontú ó chomhthéacs eolaíoch go dtí an ghnáthchaint. Is minic nach bhfuil aon chiall ar leith ag gabháil leo.

Ach féach ar na deacrachtaí a chruthaigh an t-aistritheoir dó féin maidir le tuiscint de. Cad is ciall le *rannpháirithe* a úsáid nuair is *iarrthóirí* atá i gceist. Ní gá 'process' ná 'require' a aistriú, mar níl aon 'process' ann agus ní bheidh aon *ceanglas* ar na hiarrthóirí. Ní dhéanfaidh siadsan aon mheasúnú ach déanfar measúnú orthu, agus is é an Coimisiún a dhéanfaidh é. An bhfuil aon chuid de chiall an Bhéarla caillte má deirtear: *agus na hiarrthóirí á roghnú aige, déanfaidh Coimisiún na Státseirbhíse iad a mheasúnú.* An abairt ina bhfuil 'secure', 'highest placing', 'call', d'fhéadfaí é a shimpliú arís mar seo, *na hiarrthóirí is fearr, déanfar iad a mheasúnú a thuilleadh agus déanfar agallamh iomaíoch leo freisin.* Bhí abairt an-ghreannmhar (d'ainneoin an aistritheora gan amhras) ag tús an fhógráin nuair a deirtear, *caithfidh (na hiarrthóirí) a bheith beirthe idir* .. agus .... 'Candidates must have been born between ... and ...' atá sa Bhéarla. (Má tá na hiarrthóirí beirthe, ní dócha go mbeidh siad i láthair don agallamh). Ba leor meandar machnaimh ag an aistritheoir chun a thuiscint nach gá an friotal seafóideach sin a aistriú go litriúil. Is gorthghlanadh ar dtús agus athstruchtúrú atá le déanamh ó bhonn ansin ar théacs mar sin. Ní mór na fíorais atá á nochtadh sa Bhéarla a shoiléiriú ón tranglam agus na fíorais chéanna a nochtadh i mGaeilge ionas go dtuigtear iad. Is é an t-iontas é go raibh fógrán ón bhfoinse chéanna tamall ina dhiaidh sin a bhí chomh soiléir sothuigthe álainn agus a d'fhéadfaí a iarraidh. Ag lorg *múinteoir teanga Gaeilge* a bhíothas. Dá mbeadh gach fógrán chomh soiléir céanna bheadh ábhar dóchais ann.

Is amhlaidh a bhíonn go minic i gcúrsaí fógraíochta. Shílfeá go raibh gach comhlacht ag iarraidh a thaispeáint gurb ionann bheith ag obair dó agus seal a chaitheamh i bparrthas. Feic an tslíocaíocht atá le brath san abairt seo i bhfógrán ag comhlacht chomhairleachta:

> This is exhibited by our commitment to provide an environment conducive to employee development including quality recruitment, comprehensive on-going education programmes and attractive career opportunities for our people. This philosophy enables us to stand behind the completed results of every engagement we undertake.

Feictear don scríbhneoir gur láidre 'exhibit' ná 'show' ach ní thuigtear dó go dtugann an bhéim sin an t-éitheach don chuid eile den chaint. Loiteann an t-urtheilgean tosaigh éifeacht na cainte ón tús mar cuireann sé an léitheoir ar a fhaichill. Ba bheag téarma teicniúil atá sa sampla sin, áfach. Ní hionann agus an sampla seo a leanas:

> Our core business is the application of our propietary Phosphorylcholine coating to a variety of media, primarily its addition to Vascular products. We are seeking an individual with significant knowledge of 'Coating' Chemistry and Polymer Science.

Ní féidir téacs mar sin a láimhseáil gan eolas ar na téarmaí teicniúla cuí. Ach an leor na téarmaí cuí a aimsiú agus iad a theilgean san aer? Is ceadmhach don aistritheoir téacsanna mar sin a láimhseáil go saor. Is féidir leis comhréir éasca a chur in ionad na comhréire amscaí agus téarmaí soiléire in ionad na dtéarmaí tromchiallacha. Ní hí an téarmaíocht theicniúil inti féin a chuireann as don léitheoir ach an leathbhreall a chuireann an t-údar ar an ngnáthchaint. Cad is ciall le 'quality recruitment' ach *na daoine is fearr a fhostú,* le 'our core business' ach *bunchuspóir an ghnó*?

Is ionann 'our core business' agus 'our business' ach amháin más ilghnó atá ann a bhfuil príomhghnó agus an iliomad foghnóthaí aige. Caithfidh an t-aistritheoir an téacs a mhiondealú arís. Feicfidh sé na téarmaí nach bhfuil dul as aige ach an téarma coibhéiseach teicniúil a fháil dóibh, na téarmaí nach bhfuil chomh teicniúil sin ach a bhfuil cuma na deacrachta orthu anseo, 'commitment', 'quality', 'on-going', 'stand behind', 'application', 'media', 'addition', 'individual', agus arís an t-ilfhocal 'undertake'. Tá teachtaireacht éigin le haistriú aige chun cuspóir an fhógróra a chomhall agus tá an teachtaireacht sin le seachadadh ar an léitheoir gan éifeacht na teachtaireachta a chailliúint.

Is féidir leis roghnú idir dhá mhodh oibre: tig leis an téacs a aistriú focal ar fhocal, go ceart, coibhéiseach, ach is cur chuige na meatachta é sin agus ní móide go dtuigfear an t-aistriúchán; nó is féidir leis aistriúchán a chur ar fáil atá ciallmhar, soiléir ó thaobh teanga de chun gur fearr a thuigfidh an léitheoir an bhunteachtaireacht. Toisc go bhfuil téarmaí teicniúla ann, caithfidh sé téarmaí a úsáid atá mínádúrtha, neamhdhúchasach ach níl neart aige air. Sa dara téacs ní thig leis *bratú fosfairiocoilín dílseánach* (FEol, FCT, TD) nó *eolaíocht na polaiméire* (FEol) nó *táirgí soithíocha (FB)* a sheachaint ach cad is fiú a leithéid a thabhairt amhail is go dtuigfeadh oiread agus duine amháin iad. B'fhiú an téarma Béarla a thabhairt idir lúibíní ar chuntar go ndéantar an téarma a aistriú go cruinn. D'fhéadfaí an dá théacs a thiontú mar seo:

> Tá sé seo soiléir ón rún daingean atá againn dálaí oibre a bheith ann dár bhfostaithe ina dtig leo iad féin a fhorbairt de réir mar is mian leo agus ina theannta sin, déanaimid na daoine is fearr a fhostú agus cuirimid buanchláir chuimsitheacha oideachais ar fáil dóibh mar aon le deiseanna chun slí bheatha den scoth a bhaint amach. Toisc an fhealsúnacht sin atá againn, is féidir linn bheith mórtasach as na torthaí deiridh atá ar gach iarracht a dtugaimid faoi.

> Is é is príomhghnó dúinn an bratú fosfairiocoilín dílseánach dár gcuid a chur i bhfeidhm ar chuid mhór de na meáin agus é a chur sa bhreis ar tháirgí soithíocha ach go háirithe. Táimid ar thóir duine a bhfuil eolas sármhaith aige ar Cheimic an 'Bratú' agus ar Eolaíocht na Polaiméire.

Is cinnte go bhféadfaí aistriúchán níos fearr den téacs sin a dhéanamh ach féadaim a rá gur féidir an téacs sin a thuiscint mar Ghaeilge. Seo mar a bheadh sé dá leanfaí conair na meatachta agus an téacs a aistriú focal ar fhocal :

> Foilseántar (TD) an méid sin tríd an gceangaltas (FSG) s'againne timpeallacht a sholáthar is fabhrach do (a chuidíonn le (FS)) forbairt (forbraíocht) fostaithe lena n-áirítear earcaíocht cháilíochta, cláir chuimsitheacha

> oideachais a théann ar aghaidh agus deiseanna tarraingteacha slí bheatha dár bpobal. Cumasaíonn an fhealsúnacht sin sinn chun seasamh taobh thiar de thorthaí comhlánaithe gach gealltanais (EID, FSG) dá dtugaimid faoi.
>
> Is é is gnó croíleacáin dúinn an bratú fosfairiocoilín dílseánach atá againn a chur i bhfeidhm ar éagsúlacht mheán, go príomha a aguisín (FS) le táirgí soithíocha. Taímid ag lorg duine aonair a bhfuil eolas suntasach aige ar Cheimic an Bhrataithe agus ar Eolaíocht na Polaiméire.

Tá an leagan sin chomh dílis agus is féidir a bheith. An t-aon deacracht is ea nach bhfuil aon chiall leis. Níl aon locht air ó thaobh dhílseacht an leagain ach amháin nach bhfuil sé intuigthe. Mura dtuigeann an léitheoir an t-aistriúchán is drochaistriúchán é. Is féidir an mana céanna a rá agus a athrá: má tá locht na míthuisceana ar an aistritheoir, is drochaistriúchán é; más ar an léitheoir atá an locht ar chúiseanna éagsúla, níl neart ag éinne air.

Seo roinnt samplaí a tógadh as foinsí éagsúla le bliain nó dhó anuas. Léiríonn siad a thábhachtaí atá sé an Ghaeilge a choimeád sothuigthe: *tá tús curtha ag an Aire ar phróiseas poiblí comhchomhairle* (= 'general consultation', FGB); b'fhearr *tá an tAire tar éis dul i mbun comhairliúcháin* (FSG) *leis an bpobal;* in áit éigin eile bhí *clár Comhchomhairliúcháin Poiblí* (sic) in ionad *clár poiblí comhairliúcháin.*

Is doiligh aon chiall chruinn a bhaint as na habairtí san fhógrán seo : *tá deontais i leith costais fhearais, áitrimh agus chostais aonuaire eile ar fáil do ... eagrais forbartha pobal agus limistéir, eagrais chomhthacaíochta agus eagrais féinchabhrach ar nós grúpaí áitiúla forbartha pearsanta, eagrais comhordaithe agus bratheagrais agus beidh siad páirteach i gcláir fhéinchabhrach agus fhorbartha pearsanta ....*

Is é an sampla is fearr dá bhfaca mé sampla a foilsíodh faoi choimrice Choimisiún na Státseirbhíse. Cad é a bhí uaidh ach *Stiúrthóir Iniúchta* in Oifig An Ard-Reachtaire Cuntas agus Ciste? Beag beann ar na himeachtaí tráthúla atá ag titim amach in Éirinn i 1997, b'fhearr gan fógrán a fhoilsiú chun 'stiúrthóir iniúchta' a aimsiú. An é an duine a dhéanann an t-iniúchadh nó an é an duine is ábhar don iniúchadh nó an é an duine atá ar seachrán nó ar fiar agus nach mór iniúchadh a dhéanamh mar gheall air. Is cinnte nach bhfuil an t-aon chiall amáin leis an téarma.

B'fhéidir gur soiléire an duine atá á lorg má léimid ar aghaidh. Beidh air *comhairle a thabhairt faoi straitéis iniúchta luacha ar airgead a aithneoidh saincheisteanna a bhainfidh le hábhar*. Cad is ciall leis sin? Cad is *straitéis iniúchta* ann agus cad is *straitéis iniúchta luacha* ann murab ionann é agus an *straitéis iniúchta*? Agus cad é is *straitéis iniúchta luacha ar airgead* ann, don té nach dtuigeann? Pé rud eile atá le déanamh ag an duine seo, caithfidh sé *tuarascálacha ard-chaighdeáin* a chur ar fáil *go héifeachtach eacnamúil.* Ní fios cad é an tslat tomhais sa chás seo más comhartha ar bith é 'ardchaighdeán' an fhógráin.

Ábhar machnaimh.

- Cad é an sprioc is tábhachtaí atá ag aistritheoir agus é i mbun fógrán a aistriú?

Caibidil 7
Earráidí Gramadaí agus Aistriúcháin

Is aisteach gan amhras caibidil dar teideal 'Earráidí gramadaí agus aistriúcháin' a bheith i saothar ar an aistriúchán. Ach mar a dúradh ón tús, ní hionann an t-aistriúchán go Gaeilge agus an t-aistriúchán go teangacha eile, ar chúiseanna atá luaite cheana. Agus tá an tsaindeacracht seo ag an aistritheoir go Gaeilge: tá an teanga féin ar ghannchothú maidir le híogaireacht agus le hacmhainneacht de agus mura dtuigfidh an t-aistritheoir na guaiseacha gramadaí agus comhréire sin clisfidh air an t-aistriúchán sothuigthe soiléir a dhéanamh is rogha leis. Ní sa saothar seo a sharófar na deacrachtaí sin ach ní tráth faillí é; mura dtabharfaidh an t-aistritheoir agus lucht an aistriúcháin iarracht réiteach ciallmhar a aimsiú, fágfar an Ghaeilge sa riocht cranda ina bhfuil sí.

Tá forás na Gaeilge á shrianadh ag dhá chonstaic mhóra, caint na ndaoine agus an caighdeán oifigiúil. Bhí an-tábhacht leo araon nuair a tugadh tosaíocht dóibh a chéaduair. B'éigean an bhéim a chur ar chaint na ndaoine ag tús na hathbheochana óir ní raibh aon litearthacht i scríbhinn i measc na nGael. Ach in ionad teanga scríofa a mhunlú as a luaithe agus ab fhéidir, fágadh an forlámhas ag an gcaint bheo. Luíonn sé le réasún nár chríonna an mhaise é sin mar réiteach buan. Is leor tagairt do chúis amháin: líon na gcainteoirí ó dhúchas a bhí ag laghdú gan staonadh le céad go leith bliain. Tá sé doshéanta go bhfuil mianach na Gaeilge mar atá sé á léiriú sa chaint bheo ag tanú ar comhchéim leis an laghdú atá tagtha ar líon na gcainteoirí. B'amhlaidh don chaighdeán nuair a tugadh isteach é sna caogaidí. Mura gcuirfí eagar éigin ar an litriú ag an am sin bheadh an Ghaeilge ina teanga iasachta i bhfad ó shin. Ach ní dhearnadh dáiríre ach an litriú a leasú, ní dhearnadh iarracht an teanga a shimpliú ná a réasúnú, gan trácht ar í a chur in oiriúint do na riachtanais nua. Mionréabhlóid ar mhaithe leis an gcóras oideachais a cuireadh i gcrích. Níor tugadh faoin gcomhréir ná faoi chomharthaí sóirt na teanga. Aisteach go leor, níor tugadh aird ar bith ar riachtanais na teanga labhartha d'ainneoin tús áite a bheith ag an gcaint bheo i bhfealsúnacht na teanga féin agus níor tugadh aird ar bith ar na léargais nua a bhí ag teacht ó na heolaíochtaí sainfheidhme. Má bhí an caighdeán ina thúr solais do bháid bheaga na scoile, ba dhíomhaoin an áis é maidir le heitleáin nó báid mhóra a threorú. In ionad caighdeán simplí a bhunú ar an gcaint bheo, féachadh le gach macalla den chaint bheo a chumhdach sa chaighdeán.

Fiche bliain i ndiaidh an CO foilsíodh FGB. Glacadh leis go raibh ceannas ag FGB ar gach gné den teanga a bhain le litriú agus le foclóireacht ach ghabh sé air féin freisin cúram na gramadaí (a mhéad is indéanta i bhfoclóir). Ach in ionad an CO a thabhairt suas chun dáta láithreach i bhfianaise FGB, ní dhearnadh oiread agus mionleasú air ó 1962 anall agus tá sé á fhoilsiú fós mar a bhí sé anallód. Fágadh an t-aistritheoir (agus gach úsáidire eile) ar an trá fholamh. Fiú i gcúrsaí foclóireachta de is iomaí neamhréireacht atá idir an CO agus FGB, *airí/airíona* > *airí/airíonna, bárthain* > *bárrthain*. Cá bhfaighidh an t-aistritheoir an leagan údarásach? Maidir le haon difear i gcúrsaí foclóireachta, is dócha gur ag FGB atá an t-údarás.

Thar aon rud, áfach, níor tugadh aird ar an tábhacht atá le teanga atá ciallmhar neamhdhébhríoch. I ngach teanga tá ainmfhocal, aidiacht, briathar ann. Orthusan atá an teanga ag brath chun gontacht a friotail a chur in iúl. Ach ní fios don Ghaeilge cad is aidiacht, ainmfhocal nó briathar ann. Tá dhá shaghas aidiachta ann: an aidiacht nach bhfeidhmíonn ach mar aidiacht (*faiteach, uaigneach*), agus an aidiacht atá ina briathar nó ina hainmfhocal ar uairibh. Ina theannta sin, ní mór an aidiacht a shéimhiú nó a infhilleadh. Na rialacha a bhaineann le haidiacht a shéimhiú sa ghinideach, mar shampla, is ar éigean má bhaineann siad le hábhar nuair nach eol cad is aidiacht ann; ní thugann an séimhiú aon treoir. É a bheith ann nó as, ní bhraitheann sé ar aon riail ach ar nóisean an úsáidire.

Caithfidh mé *caipín an fhir bhig* a rá, le séimhiú ar *beag* toisc go bhfuil sé sa ghinideach i ndiaidh *fear* atá firinscneach. Má deirtear *clann an duine bunaidh* fágtar *bunaidh* gan séimhiú de ghnáth toisc nach cinnte gur aidiacht 'cheart' é. Más ainmfhocal é ní shéimhítear é ach amháin má tá an t-ainmfhocal roimhe san iolra agus críoch consan caol leis, nó más ainmfhocal bainiscneach uatha (nach bhfuil sa ghinideach - ach *buntáistí na slí bheatha sin,* toisc go n-amharctar ar *slí bheatha* mar chomhaonad) atá roimhe; ach más ainmfhocal é atá ag feidhmiú mar aidiacht, níl aon tagairt dó sna rialacha.

Is doiligh míthuiscint a shamhlú sa sampla sin ach tá ciall agus míthuiscint i gceist má deirim *trúig thruaillithe*. Tig liom *fear maith* a rá, *tá an fear maith, tá sé maith*. Ach má thig liom *trúig thruaillithe* nó *tá an trúig truaillithe* nó *tá sí truaillithe* a rá, ní thig liom *brú truaillithe* a rá. Nó ba chóra a rá go dtig liom é a rá, toisc gur ainmfhocal/ainm briathartha mar aon le haidiacht bhriathartha díreach mar a bhí i gcás *trúig thruaillithe* nó *talamh truaillithe* ach nach bhfuil aon chiall leis.

Is léir go bhfuil ciall le *tráth ceiliúrtha* ach gur lú an chiall atá le *tráth truaillithe*. Más mian le duine 'pollution pressure' a rá, b'fhearr *brú truaillithe* a sheachaint agus *brú ón truailliú* a rá.

Ansin tá *aois toilithe*, 'age of consent', nuair nach séimhítear an 't' toisc gur ainmfhocal é dar tús 't' i ndiaidh 's' atá ann. Cad é a chiallódh *aois thoilithe*? Más féidir *tá an tír truaillithe* a rá, is féidir *tá an aois sin toilithe* a rá, nó is é sin an *aois thoilithe*. Tuigtear ansin nach ainmfhocal ach aidiacht é *toilithe* sa chás sin. Ach má chuirtear *toilithe/truaillithe* le hainmfhocal dar críoch consan seachas 'd,t,l,n,s' (an mbaineann an riail sin leis an bhfíoras go gcríochnaíonn an-chuid ainmneacha briathartha le ceann de na consain sin?) mar *éidreoir* nó *piseog*, is léir láithreach an fhadhb. An gciallaíonn *éidreoir thoilithe*, 'imbecility of consent' nó 'consented imbecility', nó an ionann an chiall sa dá chás. Nó más gá *ceart toilithe*, 'right of consent' a chur sa ghinideach, má deirtear *de thairbhe an chirt toilithe*, ní fios an gciallaíon sé 'the right of consent' nó 'the consented right'.

Is laige an-mhór ar theanga atá chomh héidreorach le teanga na Gaeilge go bhfuil an oiread sin codanna den ghramadach nach n-oireann fós don chaint scríofa, a dhéanann an teanga doiléir agus ní a mhalairt. Na rialacha atá oiriúnach don chaint bheo, na rialacha a eascraíonn as an gcaidreamh díreach sa chomhrá beo, a bhaineann leis an ngá atá le béim anseo agus athrú sa ghuth ansin agus atá dírithe go diongbháilte ar thábhacht na comhthuisceana, ní gá go n-oireann siad do theanga scríofa go háirithe nuair is teanga í ar beag líon lucht a scríofa agus a léite.

Ní mór gach riail a scuabadh chun bealaigh a chuireann isteach ar an gcumarsáid, a chuireann as don chiall, a dhéanann go bhfuil an teanga scríofa doiléir, dothuigthe. Is cosúil go smaoiníonn cách ar an mBéarla. Má tá an abairt intuigthe i mBéarla, is leor sin. Ach mura bhfuil gnáthfhriotal na Gaeilge chomh hintuigthe céanna, tá an friotal scriosta agus tá an teanga thíos leis freisin.

Ní dhearna mé tagairt fós ach don mhearbhall idir aidiacht bhriathartha agus an t-ainm briathartha sa ghinideach maidir le foirm agus feidhm de. Ach nuair a chuirtear leis an míthuiscint sa chiall an mearbhall maidir le séimhiú ar 'd,t,l,n,s' más ag tús aidiachta atá siad ach gan séimhiú ag tús ainmfhocail, is measa arís an doiléire.

Feic an sampla seo as *An tAcht Airgeadais,* 1988, 174:

> ... táillí is iníoctha faoi orduithe arna ndéanamh faoin Acht sin, i leith seirbhísí ag forghníomhú, nó i dtaca le forghníomhú, ordaithe fhorghníomhaithe a ordaíonn nó a údaraíonn ordú cúirte a fhorghníomhú trí mhaoin duine a urghabháil agus a dhíol nó ... i leith deimhniú a fhorghníomhú.

Pé tuiscint atá le baint as an abairt sin agus í á léamh i scríbhinn, ní fhéadfaí aon cheo a dhéanamh di ach í a chloisteáil ó bhéal. Más í an chaint bheo an tslat tomhais tá an abairt sin dothuigthe. Tá sé ráite agam arís agus arís eile ó thús an tsaothair seo nach dtig leis an aistritheoir guaiseacha uile na comhréire a imghabháil. Tig leis an iriseoir an teanga a láimhseáil mar is mian leis ach caithfidh an t-aistritheoir tús áite a thabhairt d'intinn an údair agus don chiall. Go minic is leor eolas ar an mBéarla chun an abairt a thuiscint, e.g. *Eagraíocht na dTíortha Onnmhairíocht Pheitriliam*, ach b'fhearr mar sin féin *Eagraíocht na dTíortha a onnmhairíonn Peitriliam* a rá. Ní fiú aithris a dhéanamh ar ghontacht an Bhéarla má chailltear greim ar an gciall nó má chuireann sé an teanga as a riocht. Ach má táthar chun rithim an Bhéarla a leanúint i gcásanna mar sin, is cinnte nach ndéantar an abairt níos dúchasaí sraith ginideach a chur isteach.

Cad iad na laigí atá sa teanga mar sin, fad a bhaineann leis an aistritheoir? Tá siad uile ceangailte a bheag nó a mhór le solúbthacht na teanga atá ina buntáiste in amanna ach atá ina eire ar an aistritheoir amanna eile. Níl ach éiginnteacht ann nuair atá an briathar ag feidhmiú mar ainmfhocal, nuair atá an briathar ag feidhmiú mar aidiacht agus nuair atá an t-ainmfhocal ag feidhmiú mar aidiacht, go háirithe nuair is é an briathar ag feidhmiú mar ainmfhocal atá ag feidhmiú freisin mar aidiacht. (Níl mé ag tagairt do na foirmeacha áiféiseacha a mholtar sa CO, agus ar athraíodh cuid acu in FGB, *buíthí* > *buíche*).

Ní fios an aidiacht nó ainmfhocal é focal mar *talmhaíocht, iriseoireacht* nuair atá sé ag feidhmiú mar aidiacht. Tá baint aige sin leis an deilbhíocht. In abairt mar *bliain talmhaíochta*, is aidiacht é *talmhaíocht* gan amhras, agus ba chóir an 't' a shéimhiú de réir na rialacha.

Is amhlaidh san abairt *in ábhair shibhialta agus tráchtála*. Is aidiacht é *tráchtála* agus ba cheart an 't' a shéimhiú. Ní shéimhítear an 't' i gceachtar den dá chás de ghnáth, óir is doiligh ceachtar acu a 'shamhlú' ina n-aidiachtaí. Níl róthábhacht leis sna cásanna sin maidir le ciall de ach nuair atá foirm an ghinidigh ag an ainm briathartha, ní fios an bhfuil sé ag feidhmiú mar aidiacht nó mar ainmfhocal, agus is é an séimhiú amháin a shoiléiríonn an cás. Déanann sé an-difear don chiall mar atá feicthe againn i gcásanna mar *forbartha, táirgthe*.

Ní thig leis an nGaeilge focail mar 'coordinated' agus 'coordinating' (cé chreidfeadh go gciallaíonn *rialacha comhordaithe*, 'rules of coordination'?), 'opened' agus 'opening' a idirdhealú ach amháin trí aidiachtaí 'nua' mar *comhordaitheach* agus *oscailteach* a úsáid. Caithfidh an t-aistritheoir a bheith ar an airdeall nuair a deirtear go gciallaíonn *síothlán scagtha*, 'filter screen' (FCT); tá *scagthach*, 'filtering' in FGB; agus cad é mar a aistrítear 'filtered screen'?

Faoi 'part' in FCT, tá *páirt ghluaisteach*, 'moving part', *páirt oibríoch*, 'working part', ach *páirteanna comhoiriúnaithe*, 'mating parts' cé go dtugtar *comhoiriúnach* ar thaobh na Gaeilge do 'mating'. Tá dualgas ar an aistritheoir féin na fadhbanna tuisceana sin a shárú ach ní tharlóidh sé mura dtuigfear dó na fadhbanna atá ann.

Níor soiléiríodh riamh ach oiread gur fusa foirm na haidiachta a roghnú nuair atá fíoraidiacht ann i gcásanna mar *polaitiúil* (in ionad *polaitíochta*), *stairiúil* (in ionad *staire*), *eacnamaíoch* in ionad *eacnamaíochta*, (ciallaíonn *míorúilt eacnamaíochta*, 'a miracle of economics', TP, FSG) agus mar sin de. B'fhearr don aistritheoir an aidiacht lom a roghnú agus cloí leis an aon fhoirm amháin tríd síos. Ní chuireann a leithéid as don chiall agus cuirfidh sé go mór le tuiscint an léitheora. Is tábhachtaí an tsoiléireacht ná aon argóint eile. Ina theannta sin tá sé dochreidte go ndéanfaí téarma mar *athróg eacnamaíoch*, 'economic variable' a infhilleadh agus a urú ach amháin nuair is gá an t-ainmfhocal a chur san iolra. Ní chuirtear leis an gciall ach cuirtear leis an deacracht agus is comhaonad é amhail *deireadh seachtaine* nó *nós imeachta* nó *slí bheatha* é. Cén duine beo a déarfadh *luach na hathróige eacnamaíche* agus an t-iomlán a fhuaimniú ar dhóigh shothuigthe in ionad *luach an athróg eacnamaíoch* nó *luach na n-athróga eacnamaíocha*?

Tá fadhb mhór freisin ag roinnt le tiomsú na n-ainmfhocal. Tá an ghné seo den fhadhb luaite cheana i gCaibidil 4. Feictear dom nach féidir aon téarma nó coincheap nua a thairiscint don saol Fódlach, ach amháin i gcás correisceacht, má tá níos mó ná dhá ainmfhocal ann. Ba é *fear an phoist* bunmhúnla na gramadaí agus níl mé cinnte go dtig leis an teanga a thuilleadh a iompar gan dul faoi. Más mian linn tabhairt le fios gur teanga mharbh í an Ghaeilge, is féidir linn ár maidí a ligean le sruth agus gach ábhar míthuisceana a cheadú. Is féidir múnlaí mar *fear iompair an phoist* nó *fear múinte na scoile* a rá gan an chiall a dhul as radharc ach ina dhiaidh sin is baolach é. Nuair a ceadaíodh sa CO an t-ainmneach a úsáid nuair atá ainmfhocal cinnte sa ghinideach ar lorg ainmfhocail eile, rinneadh amhlaidh chun infhilleadh agus castachtaí eile a sheachaint. Ní rabhthas ag smaoineamh ar abairt mar seo: *bailíocht chomh-dhéanamh, neamhniú nó díscaoileadh cuideachtaí nó daoine dlítheanacha.* Ar ndóigh níl aon ainmfhocal cinnte san abairt chun eisceacht an CO a chosaint ach tuigeadh don aistritheoir nach bhféadfaí *bailíocht chomhdhéanta, neamhnithe nó d(h)íscaoilte* ... a rá nó bheadh an chiall ar fad ina praiseach. Éiríonn an deacracht anseo toisc go bhfuil sraith ainmneacha briathartha ann ag feidhmiú mar ainmfhocail ach atá ar tí tiontú ina n-aidiachtaí!

I mBéarla is é atá ann 'the validity of the constitution ... of companies'. Dá leanfaí na rialacha is é a bheadh ann *bailíocht chomh-dhéanaimh, neamhnithe nó d(h)íscaoilte cuideachtaí nó daoine dlítheanacha* agus ní bheadh aon chiall leis. Is amhlaidh sa sampla seo as fógrán. Is é atá á lorg, *comhordaitheoir idirghabhála Ceantair sa tSeirbhís Idirghabhála Teaghlaigh na Roinne Comhionannais agus Athchóirithe Dlí.* Ní comhordú ach soiléiriú an chéad dualgas a bheidh ar an té a cheapfar.

Mar atá feicthe againn thuas, tá fadhb ann sa Ghaeilge faoi ord na bhfocal, mar shampla an ceart aidacht a chur idir dhá ainmfhocal, *bliain mhaith talmhaíochta* nó *bliain talmhaíochta mhaith.* Ciallaíonn sé sin nach fios go cinnte in abairt mar *na costais a bhaineann le comhlíonadh na riachtanas rialaithe truaillithe leagtha amach* cé acu focal is aidiacht, an bhfuil siad uile ina n-aidiachtaí nó an bhfuil aon cheann acu ina aidiacht. Agus tá an chiall i bhfad ó bheith soiléir. Is amhlaidh le *Ciste Comhpháirtíochta Comhshaoil.* An bhfuil *comhshaoil* ag feidhmiú mar aidiacht agus ag cáiliú *comhpháirtíocht* nó an bhfuil *comhpháirtíocht* ag feidhmiú mar aidiacht agus ag cáiliú *ciste,* nó an bhfuil siad araon ina n-aidiachtaí nó, b'fhéidir fós nach bhfuil ceachtar acu ag feidhmiú mar aidiacht ach go bhfuil siad araon sa ghinideach.

Tig le hord na bhfocal ciall na habairte a athrú i ngach teanga ach amháin sa Laidin. Tá foirm ar leith ag ainmní an bhriathair agus ag cuspóir an bhriathair agus ní féidir athbhrí a bheith ann. Is ionann *omnia vincit amor* agus *amor vincit omnia*. Ní hamhlaidh don Ghaeilge. Tá iarsmaí na Laidine le feiceáil fós ar an nGaeilge ach déanann siad aimhleas na Gaeilge. Feic an sampla thuas as fógrán: *tá taithí maidir le oideachas a scaipeadh sa phobal inmhianaithe*. Is dócha gurb é an *taithí* atá *inmhianaithe* agus ní an *pobal*. Seo sampla eile as fógrán : *beidh cúlra múinteoireachta ag an iarrthóir idéalach chomh maith lena bheith tugtha do thaighde leanúnach*. Is dócha gurb é an t-iarrthóir ba cheart a bheith *idéalach* agus ní an cúlra, ach ba chóir *beidh sé tugtha* sa dara cuid, mar níl aon bhaint idir an t-ainmní, *an cúlra* agus an dara cuid den abairt. Ní mór ionad na haidiachta a shocrú go cruinn ach is doiligh a bheith cinnte faoi ionad nó ról na haidiachta ach amháin nuair atá gnáthaidiacht aonfhoirmeach i gceist. An éiginnteacht faoi ord na bhfocal móide an athbhrí maidir leis na haidiachtaí, is ionann iad agus teanga dhoiléir. Táimid idir eatarthu maidir le rialacha gramadaí.

Níl aon fhocal is fearr a léiríonn an éiginnteacht agus an athbhrí seo in úsáid na Gaeilge ná an briathar *caomhnaigh* (fágaim as an áireamh *forbair*, ar ndóigh, a bhfuil taibhsí na míchéille uime go buan). Chonacthas thuas an fógrán faoi *Ceantar Speisialta Caomhnaithe* nuair is cosúil gur 'conservation' is ciall leis agus go bhfuil sé ag feidhmiú mar ainmfhocal. Is amhlaidh in *deontas caomhnú traonach* ach amháin go gcoimeádtar an focal san ainmneach. Rinneadh tagairt in áit éigin eile do *pleanálaithe caomhantais* chun na ceantair speisialta seo a eagrú agus tá scéim ann *um Chaomhnú Chomhshaol Tuaithe* (a dtugtar *um Chaomhnú Chomhshaoil Tuaithe* air in áit eile). Bhí *Ceann Caomhnaithe* á lorg áit a raibh *saotharlann caomhnaithe* agus feictear tagairtí go minic do *grúpaí caomhnaithe*. Ní fios an bhfuil na *grúpaí caomhnaithe caomhnaithe sa saotharlann chaomhnaithe mar aon leis an gceann caomhnaithe?*

Cé air a bhfuil an locht má tá fadhb anseo? In áit amháin bhí an abairt seo, *má théann branda speisialta caomhnaithe ar dhá thrian de seo*. Is é 'conservation laboratory' is ciall le *saotharlann caomhnaithe*, agus 'head of conservation' is ciall le *ceann caomhnaithe* de réir dealraimh (san fhógrán céanna bhíothas ar thóir *ceann margaithe* nuair ab shoiléire *ceann margaíochta* a rá, - nó ar chirte *ar thóir cinn mhargaíochta* a rá?). Ar fágadh an 'c' gan séimhiú chun a léiriú nach aidiacht atá ann ach ainmfhocal? Ach níl treoir den sórt sin sna rialacha aimhréiteacha gramadaí maidir le séimhiú i ndiaidh ainmfhocail ach a mhalairt; deir GG (28) go séimhítear an ginideach nuair is ainmfhocal bainiscneach uatha an chéad ainmfhocal má tá an t-ainmfhocal sa ghinideach ina ainm briathartha. Níl *saotharlann caomhnaithe* ceart ach oiread más aidiacht é *caomhnaithe*. In áit eile bhí tagairt do *seifteanna caomhnaithe*, 'well-kept plans' b'fhéidir? ní hea, ach 'conservation measures'.

Ní féidir sa chás sin thuas abairtín ainm bhriathartha a úsáid ach oiread, is é sin *comhdhéanamh* a chur siar ar fad, mar níl aon fheidhm bhriathartha aige. Ar an drochuair tá cuma agus comharthaí sóirt an ainm bhriathartha aige i nGaeilge. Ach d'fhéadfaí an cleas sin a úsáid chun cuid mhór deacrachtaí a sheachaint. Ach tá róchlaonadh anois gan abairtín ainm bhriathartha a úsáid, *rialú míochainí tréidliachta* a rá in ionad *míochainí tréidliachta a rialú, riachtanais chaomhnaithe agus bainistíochta na láithreán sin* in ionad *na riachtanais a bhaineann leis na láithreáin sin a chaomhnú agus a bhainisteoireacht, le híoc pinsean do mhúinteoirí* in ionad *le pinsean a íoc le múinteoirí, tógáil na sochaí eolais* in ionad *sochaí an eolais a thógáil*. Tá dul an Bhéarla ar an modh oibre eile. Ba chuma faoi sin, b'fhéidir, mura rachadh ceal sa chiall.

Is é an t-ainm briathartha agus é ag feidhmiú mar aidiacht agus an mearbhall a leanann é faoi deara na deacrachtaí is mó. Amharc ar na samplaí seo a leanas atá le fáil in iris ar bith am ar bith. Tá *comhdháil athbhreithnithe nó mheasúnaithe* in áit amháin agus *córas measúnachta agus deimhnithe* in áit eile; tá *córais aitheantais agus forghníomhaithe an Choinbhinsiúin* agus *dlíthe sábháilteachta agus truaillithe*, agus *eochaireagrais fhorbartha agus chultúrtha* (tá meascán d'ainmfhocal ag feidhmiú mar aidiacht agus ainm briathartha ag feidhmiú mar aidiacht ach gan aon chinnteacht an ag feidhmiú mar aidiachtaí atá siad); *tá córais náisiúnta chláraithe* gan é a bheith soiléir an gciallaíonn sé 'registered national systems' nó 'national systems of registration'; is amhlaidh le *imeachtaí atheagraithe* - an gciallaíonn sé 'reorganised proceedings' nó 'reorganisation proceedings'?

Cad *is eagras maoinithe* ann? an bhfaigheann sé airgead nó an ndáileann sé airgead?; cén fáth *ó thaobh airgeadaithe de*? tá *bainisteoir forbairt fiontair* ann atá ag obair do *clár forbartha acmhainní daonna*; tá *de bharr obair athchóirithe* agus tá *an coiste athbhreithnithe* agus an *coimisiún athchóirithe dlí*; feicfear *faoi réir* <u>*cheadaithe*</u> agus *de bhun comhaontaithe*; tá *rannóg bainistithe dramhaíola* ann ach tá *modhanna ríomhmhúnlaithe dearadh*; tá *spéis soiléirithe sna healaíona* ag duine; agus cad is ciall le *modhanna léasarbhunaithe scrúdaithe ceall*?

An gciallaíonn *eagras pobalbhunaithe* 'a community-based organisation' nó *eagras chun pobal a bhunú*? Cad is ciall le *clár múinte*, 'a taught course' nó 'a course of teaching'? An gciallaíonn *treoir mhínithe* 'an explained guide' nó 'an explanation guide'? Tá *in aghaidh ginmhilleadh* agus *ar son ginmhillte* agus *impleachtaí clúmhillte* agus *éifeachtaí clúmhilleadh.* Cé mhaífeadh go gciallaíonn *eascaire fhorghníomhaithe* 'an executed writ' agus ní 'a writ of execution'? Ní heol don Ghaeilge cad is aidiacht cheart ann agus ní heol di cad is réamhfhocal comhshuite ann agus cad é a tharlaíonn ina dhiaidh. Thaispeáin GG (93) neart cásanna nuair nach gá ainmfhocal a infhilleadh i ndiaidh réamhfhocal comhshuite ach fágadh an chomhairle gan toradh de réir dealraimh. Ach caithfidh an t-aistritheoir na cásanna seo a láimhseáil in aghaidh an lae. B'fhiú dó súil a choimeád ar shoiléireacht a chainte agus neamhspéis a dhéanamh de na rialacha sin is údar míthuisceana dó.

Níl ansin ach tagairt ghearr do na deacrachtaí teanga a bheidh le sárú ag an aistritheoir in aghaidh an lae. Mura mbeadh ann ach iad mar dheacrachtaí ní bheadh an scéal ródhona. Ach tá drochbhail ar an nGaeilge i gcoitinne.

Déanann Dónall Ó Baoill an CO agus na laigí agus na heasnaimh atá ann a phlé go mion in *Teangeolas,* (1993, 32). Deir sé gur gá 'comhordú iomlán a dhéanamh idir FGB agus an CO'. Tá seisean den tuairim gur léir sa CO 'macallaí d'idir-réiteach a bhíonn ar siúl ag coistí nuair nach mbíonn na baill go léir ag tarraingt le chéile faoi na moltaí atá le déanamh' agus gur mithid anois 'a bhfuil d'eolas agus de thraenáil teangeolaíochta ar lucht úsáide agus ar scoláirí na Gaeilge ó 1958' a chur i dtairbhe chun an CO a leasú. Agus an ghné is tábhachtaí fad a bhaineann leis an aistritheoir, deir se gur beag má rinneadh moladh ar bith maidir le cúrsaí comhréire. Déanann sé na moltaí seo a leanas ag deireadh a ailt in *Teangeolas*, 17 (1983,46):

(1) ná cumtar riail mura bhfuil feidhm sin a dhéanamh;

(2) ná cumtar ach rialacha atá beo sa teanga nó ar a laghad ar bith ná bíodh níos mó eisceachtaí ná eiseamláirí ar an riail féin;
(3) tugtar an áit is dual do shimplíocht rialacha ó thaobh foghlama de;
(4) tugtar rith láimhe do fhás na teanga;
(5) ná cumtar aon fhocal nach bhfuil inráite ag gnáthdhaoine;
(6) leagtar amach na rialacha agus na treoracha atá ann do dhaoine ar mhaith leo scrúdú a dhéanamh orthu nó iad a úsáid;
(7) bíodh aird ar leith againn ar oibriú na haigne agus ar an tsíceolaíocht a ghabhann le húsáid dhá chóras fuaimeanna atá an-éagosúil lena chéile.

Deir Séamas Ó Murchú (1983) nach

> ionann an caighdeán agus CO ... dá réir sin is féidir rud mar seo a rá i gcónaí: 'tá x caighdeánach mar tá sé molta in CO'. Ba dheacair cur ina aghaidh sin mura bhféadfaí a thaispeáint gur dearmad de shórt éigin a bhí ann'. Ach má deir duine 'níl x caighdeánach mar níl sé molta in CO' ní gá aontú leis. Má dhéanann duine ráiteas den sórt sin caithfidh sé freagracht phearsanta a ghlacadh as ... is comharthaí beatha agus fáis na tuairimí éagsúla.

Tá moladh déanta ag Séamas Ó Murchú (1978):

> ... maidir le ceapadh an chaighdeáin tá roinnt bealaí a bhféadfaí dul ar aghaidh anois... D'fhéadfaí coiste a chur ar bun ... a mbeadh sé mar chúram air moltaí nua a scrúdú, agus eolas faoi cheart na teanga a sholáthar don phobal ... ar choinníoll gur coiste poiblí a bheadh ann ... agus nach bhféachfaí ar a chuid breithiúnasaí ach mar mholtaí. Mar gheall ar staid lag na teanga ceapaim go bhfuil gá le treoir leanúnach sna cúrsaí seo.

Fágfaimid an focal deireanach ag Tomás de Bhaldraithe (*Teangeolas*, 32):

> ... tá claonadh sa teanga le fada simpliú a dhéanamh ar dhíochlaontaí na n-ainmfhocal is na n-aidiachtaí. Lagú ar éifeacht na teanga é sin dar le daoine áirithe. Ach an ea? Tá foirm ar leith don chuspóireach ligthe i léig le fada. Ní féidir an tabharthach a úsáid ach i ndiaidh réamhfhocail ... ná an ginideach a úsáid ach i ndiaidh ainmfhocail nó réamhfhocail áirithe. Dá bhrí sin níl ciall ar bith le focail astu féin sna tuisil sin, e.g. níl aon chiall le *iongain* ná *iongan* astu féin. Ar ndóigh tá aicmí focal nach bhfuil ach an dá fhoirm acu - uatha agus iolra, agus ní údar míchruinnis ná mí-éifeachta é sin. Dá gcuirfí an claonadh sin chun simpliú na ndíochlaontaí i gcrích go hiomlán agus gan ach an dá fhoirm a bheith ag na hainmfhocail, agus an t-aon fhoirm ag an aidiacht, tá daoine ann a mhaífeadh go mba shoiléir éifeachtaí an teanga dá bharr sin. (28)

Agus bheadh an t-aistritheoir orthu sin gan amhras. Is cosúil gur air a thitfidh an cúram réasún agus soiléireacht agus ciall agus tuiscint a chur sa teanga óir is ar scáth a chéile a mhaireann an teanga agus an t-aistritheoir.

Ábhar machnaimh.

- Cén dream a dhéanfaidh comhordú ar na ceisteanna gramadaí agus téarmaíochta seo?
- An bhfuil an ceart ag an aistritheoir na rialacha a shimpliú as a stuaim féin?
- An mithid caighdeán soiléir gramadaí a oibriú amach?

Foinsí eolais

Bliss, Alan 'The Standardization of Irish', in *The Crane Bag*, 5, uimh. 2, 1981, 76-82.

de Bhaldraithe, Tomás 'Nóitíní ar Staid Inmheánach na Teanga', in *Teangeolas*, 32, 1993, 25-28.

Ní Mhurchú, Cáit *'Cad d'Éirigh don Chaighdeán?'*, in *Comhar*, Márta 1981, 12-15.

Ó Baoill, Dónall P. 'Aitheantas agus Caighdeán', in *Teangeolas*, 32, 1993, 29-34.

Ó Baoill, Dónall P. 'Cén Chanúint í sin?', in *Teangeolas*, 23, 1987, 27-33.

Ó Baoill, Dónall P. *Earráidí Scríofa Gaeilge, Cuid I,II,III*, BÁC, 1985.

Ó Baoill, Dónall P. 'Is beannaithe lucht an Chaighdeáin óir is leo ...', in *Teangeolas*, 17, 1983, 40-46. (Tugtar liosta de na hailt a scríobhadh ar an gcaighdeán go dtí sin agus de na tagairtí do chúrsaí caighdeáin i gcoitinne san uimhir seo, 7-9.)

Ó Baoill, Dónall P. agus Ó Riagáin, Pádraig 'Reform of the orthography, grammar and vocabulary of Irish', in Fodor agus Hagège *La Réforme des Langues. Histoire et Avenir*, 5, Hamburg, 1990.

Ó Baoill, Dónall P., eag. *Úsáid agus Forbairt na Lárchanúna*, BÁC, 1990.

Ó Brolcháin, Doiminic 'Briathra agus Réamhfhocail: Téacsanna don Mhúinteoir', in *Teagasc na Gaeilge*, 4, 1984-1985, 57-70.

Ó Glaisne, Risteard 'Leasuithe ar Chaighdeán na Gaeilge', in *Studia Hibernica*, 5, 1965, 78-87.

Ó Murchú, Máirtín 'Some General Observations', in *Teangeolas* 32, 1993, 59-61.

Ó Murchú, Séamas 'An Caighdeán Oifigiúil tar éis fiche bliain', in *Éigse*, Samhradh 1978, 17: cuid 2, 361-370.

Ó Murchú, Séamas 'Céard é an Caighdeán?', in *Teangeolas*, 17, 1983, 34-39.

Ó Ruairc, Maolmhaodhóg *Ainmfhocail Faoi Réir a Chéile*, BÁC, 1996.

Ó Ruairc, Maolmhaodhóg 'Forbairt na Gaeilge - Caoga bliain amach', in *Teangeolas*, 32, 1993, 35-44.

Ó Sé, Diarmuid *'Súil ghéar ar litriú na Gaeilge'*, in *Teangeolas*, 28, 1990, 16-18.

Ó Siadhail, Mícheál 'Standard Irish Orthography: An Assessment', in *The Crane Bag*, 5, uimh.2, 71-75.
Teangeolas, 32, 1993. (Eagrán speisialta ar 'An Ghaeilge Bheo i 2000 A.D.')

Caibidil 8
Samplaí

Tugtar na samplaí seo a leanas chun léargas a thabhairt ar an gcineál aistriúcháin a bhí agus atá á dhéanamh go Gaeilge sa chéad seo. Fágtar faoin léitheoir a bhreith féin a dhéanamh orthu i bhfianaise na bprionsabal atá leagtha amach sa saothar seo.

Tugtar na leaganacha ar aghaidh a chéile ar na leathanaigh ina dhiaidh seo.

(a) téacs dlí

An tAcht um Eiseachadadh (17/65, Alt 3(1), lgh. 6-9)

"act" includes omission;

"detention order", in relation to another country, means any order involving deprivation of liberty which has been made by a criminal court in that country in addition to or instead of a prison sentence;

"diplomatic agent" means an ambassador extraordinary and plenipotentiary, envoy extraordinary and minister plenipotentiary or chargé d'affaires;

"extradition" means the surrender of a person under the provisions of part II to a country in relation to which that Part applies;

"extradition agreement" has the meaning assigned to it by subsection (1) of section (8);

"extradition provisions" means the provisions of an extradition agreement or of an order under section 8 applying Part II otherwise than in pursuance of an extradition agreement;

"habeas corpus proceedings" means proceedings (including proceedings on appeal) under section 4.2° of Article 40 of the Constitution;

"imprisonment", in relation to the State, includes penal servitude and detention in Saint Patrick's Institution and, in relation to any other country, includes deprivation of liberty under a detention order;

"justice of the District Court" includes the President of the District Court;

"person claimed" means a person whose extradition is requested;

"political offence" does not include the taking or attempted taking of the life of a Head of State or a member of his family;

"remand institution" means an institution (other than a prison) within the meaning of the Criminal Justice

folaíonn "gníomh" neamhghníomh;

ciallaíonn "ordú coinneála", maidir le tír eile, aon ordú a bhéarfadh cailleadh saoirse a bheith déanta ag cúirt choiriúil sa tír sin i dteannta nó in ionad pianbhreithe príosúnachta;

ciallaíonn "gníomhaire taidhleoireachta" ambasadóir urghnách agus lánchumhachtach, toscaire urghnách agus aire lánchumhachtach nó *chargé d'affaires*;

ciallaíonn "eiseachadadh" duine a thabhairt suas faoi fhorálacha Chuid II de thír lena mbaineann an Chuid sin;

tá le "comhaontú um eiseachadadh" an bhrí a thugtar dó le fo-alt (1) d'alt 8;

ciallaíonn "forálacha um eiseachadadh" na forálacha i gcomhaontú um eiseachadadh nó in ordú faoi alt 8 a chuireann Cuid II chun feidhme ar dhóigh seachas de bhun comhaontú um eiseachadadh;

ciallaíonn "imeachtaí *habeas corpus*" imeachtaí (lena n-áirítear imeachtaí ar achomharc) faoi alt 4.2° d'Airteagal 40 den Bhunreacht;

folaíonn "príosúnacht", maidir leis an Stát, pianseirbhís agus coinneáil i bhForas Naomh Pádraig agus, maidir le haon tír eile, folaíonn sé cailleadh saoirse faoi ordú coinneála;

folaíonn "breitheamh den Chúirt Dúiche" Uachtarán na Cúirte Dúiche;

ciallaíonn "duine a éilítear" duine a n-iarrtar a eiseachadadh;

ní fholaíonn "cion polaitiúil" Ceann Stáit nó duine dá theaghlach a mharú nó tabhairt faoina mharú;

folaíonn "foras athchuir" foras (seachas príosún) de réir bhrí an Achta um Dhlínse Choiriúil, 1960;

Act,1960

"requested country" means a country which is requested to surrender a person to the State for prosecution or punishment for an offence;

"requesting country" means a country which requests extradition;

"revenue offence" , in relation to any country or place outside the State, means an offence in connection with taxes, duties or exchange control but does not include an offence involving the use or threat of force or perjury or the forging of a document issued under statutory authority or an offence alleged to have been committed by an officer of the revenue of that country or place in his capacity as such officer.

An authorised officer may, for the purpose of obtaining any information that is necessary or expedient for the performance by the Commissioner of his functions, on production of the officer's authorisation, if so required -

(a) at all reasonable times enter the premises that he reasonably believes to be occupied by a data controller or a data processor, inspect the premises and any data therein (other than data consisting of information specified in section 12 (4) (b) of this Act) and inspect, examine, operate and test any data equipment therein,

(b) require any person on the premises, being a data controller, a data processor or an employee of either of them, to disclose to the officer any such data and produce to him any data material (other than data material consisting of information so specified) that is in that person's power or control and to give to him such information as he may reasonably require in regard to such data and material,

(c) either on the premises or elsewhere, inspect and copy or extract information from such data, or inspect and copy or take extracts from such material, and

ciallaíonn "tír iarrtha" tír a n-iarrtar uirthi duine a thabhairt suas don Stát lena ionchúiseamh nó lena phionósú i gcion;

ciallaíonn "tír iarrthach" tír a iarrann eiseachadadh;

ciallaíonn "cion ioncaim", maidir le haon tír nó áit lasmuigh den Stát, cion i ndáil le cánacha, dleachtanna nó rialú malairte, ach ní fholaíonn sé cion ina ndéantar forneart a úsáid nó a bhagairt, ná mionnú éithigh ná brionnú doiciméid a eisíodh faoi údarás reachtúil ná cion a líomhnaítear é a bheith déanta ag oifigeach ioncaim de chuid na tíre nó na háite sin ina cháil mar oifigeach den sórt sin.

Féadfaidh oifigeach údaraithe, chun aon fhaisnéis a fháil is gá nó is chun go gcomhlíonfaidh an Coimisinéir a chuid feidhmeanna, ar údarú an oifigigh a thabhairt ar aird, má éilítear amhlaidh -

(a) gach tráth réasúnach, dul isteach in áitreabh a chreideann sé go réasúnach a bheith áitithe ag rialaitheoir sonraí nó ag próiseálaí sonraí, an t-áitreabh agus aon sonraí atá ann (seachas sonraí arb é atá iontu faisnéis a shonraítear in alt 12 (4) (b) den Acht seo) a iniúchadh, a scrúdú, a oibriú agus a thástáil,

(b) a cheangal ar aon duine ar an áitreabh, ar rialaitheoir sonraí, próiseálaí sonraí nó fostaí de cheachtar acu, aon sonraí den sórt sin a nochtadh don oifigeach agus aon sonra-ábhar arb é atá ann faisnéis a shonraítear amhlaidh) a thabhairt ar aird dó faoi chumhacht an duine sin nó faoina rialú agus cibé faisnéis a thabhairt dó a theastóidh uaidh go réasúnach maidir leis na sonraí sin agus leis an ábhar sin,

c) ar an áitreabh nó in aon áit eile, na sonraí sin a iniúchadh agus a chóipeáil nó faisnéis a bhaint astu nó an t-ábhar sin a iniúchadh agus a chóipeáil agus sleachta a thógáil as, agus

(d) require any person mentioned in paragraph (b) of this subsection to give to the officer such information as he may reasonably require in regard to the procedures employed for complying with the provisions of this Act, the sources from which such data was obtained, the purposes for which they are kept, the persons to whom they are disclosed and the data equipment in the premises.

(3) Subject to subsection (5) of this section, subsection (2) of this section shall not apply in relation to the order.

(4) Whenever the Commissioner considers it necessary or expedient for the performance by him of his functions that an authorised person should exercise, in relation to a financial institution, the powers conferred by subsection (2) of this section, the Commissioner may apply to the High Court for an order under this section.

(5) Whenever, on an application to it under subsection (4) of this section, the High Court is satisfied that it is reasonable to do so and is satisfied that the exigencies of the common good so warrant, it may make an order authorising an authorised officer to exercise the powers conferred by subsection (2) of this section in relation to the financial institution concerned, subject to such conditions (if any) as it thinks proper and specifies in the order. (6) A person who obstructs or impedes an authorised officer in the exercise of a power, or without reasonable excuse, does not comply with a requirement, under his section or who in purported compliance with such a requirement gives information to an authorised officer that he knows to be false or misleading in a material respect shall be guilty of an offence.

(d) a cheangal ar aon duine a luaitear i mír (b) den fho-alt seo cibé faisnéis a thabhairt don oifigeach a theastóidh uaidh go réasúnach maidir leis na nósanna imeachta a mbaintear leas astu chun forálacha an Achta seo a chomhlíonadh, na foinsí óna bhfaightear na sonraí sin, na críocha dá gcoimeádtar iad, na daoine dá nochtar iad agus an trealamh sonraí san áitreabh.

(3) Faoi réir fho-alt (5) den alt seo, ní bheidh feidhm ag fo-alt (2) den alt seo i ndáil le foras airgeadais.

(4) Aon uair a mheasann an Coimisinéir gur gá nó gur fóirsteanach, chun a chuid feidhmeanna a chomhlíonadh, go bhfeidhmeodh oifigeach údaraithe, i ndáil le forás airgeadais, na cumhachtaí a thugtar le fo-alt (2) den alt seo, féadfaidh an Coimisinéir iarratas a dhéanamh chuig an Ard-Chúirt ar ordú faoin alt seo.

(5) Aon uair is deimhin leis an Ard-Chúirt, ar iarratas chuici faoi fho-alt (4) den alt seo, go bhfuil sé réasúnach déanamh amhlaidh agus gur deimhin léi gur gá sin ar mhaithe le leas an phobail, féadfaidh sí ordú a dhéanamh á údarú d'oifigeach údaraithe na cumhachtaí a thugtar le fo-alt (3) den alt seo a fheidhmiú i ndáil leis an bhforas airgeadais lena mbaineann, faoi réir cibé coinníollacha (más ann) is cuí leis agus a shonróidh sé san ordú.

(6) Duine a bhacfaidh nó a choiscfidh oifigeach údaraithe agus é ag feidhmiú cumhachta faoin alt seo nó, gan leithscéal réasúnach, nach ndéanfaidh de réir ceanglais faoin alt seo, nó a dhéanfaidh, mar chomhlíonadh airbheartaithe ar cheanglas den sórt sin, faisnéis a thabhairt d'oifigeach údaraithe is eol don duine a bheith bréagach nó míthreorach ar phonc ábhartha, beidh sé ciontach i gcion.

(b) téacs polaitiúil

Alt/Ráiteas le Jacques Poos, Aire Gnóthaí Eachtracha Lucsamburg, 1 Iúil 1997

At their Amsterdam meeting of June 16th and 17th, the heads of state and government gave the Luxembourg presidency the mandate to organise an extraordinary European Council on employment. They thus wanted to signal their concern for the anxieties of the European citizen. Never before has such a high-level meeting dealt directly and exclusively with unemployment, in spite of it being the greatest disruption of the European economy...

What exactly can the Union do about employment?

First it needs to guarantee a stable macroeconomic setting.

We need also to modernise the employment market, stimulate information exchange within the Union on effective measures against unemployment, and support the creation of and access to local jobs. Bodies such as the European Investment Bank need to be encouraged to invest in small- and medium-sized businesses, which constitute the greatest potential for job creation in Europe ...

Investment in Europe is not geared towards the improvement of company productivity. Instead, it is being lured by delocalisation to countries with low salaries, or by global restructuring that pays little heed to productivity achieved within the production units of a large group ...

However, things are starting to move ... The seeds have been sown for reflection, and even for a more global dialogue, on investment in Europe and its link to the European social model ... The thoughts and suggestions of governments and social partners could fuel the think-tank of the summit.

(Tá an leagan Fraincise ar leathanach 158.)

D'iarr na Ceannairí Stáit is Rialtais, ag teacht le chéile dóibh in Amstardam ar 16 agus 17 Meitheamh, ar Uachtaránacht Luscamburg Comhairle Eorpach urghnách ar an bhfostaíocht a eagrú. Theastaigh uathu amhlaidh tabhairt le fios gur cás leo imní an tsaoránaigh Eorpaigh. Níor comóradh cruinniú ardleibhéil mar é riamh chun ceist na dífhostaíochta a phlé chomh díreach eisiach sin, bíodh is go ndeirtear go bhfuil geilleagar na hEorpa síos suas aici (gurb é an clipeadh is measa ar gheilleagar na hEorpa).

Ach cad é go díreach a thig leis an Aontas a dhéanamh faoin bhfostaíocht.

Ar an gcéad dul síos, ní mór a chinntiú go bhfuil an creat maicreacnamaíoch cobhsaí.

Ansin, ní mór na margaí fostaíochta a nuachóiriú, malartú eolais a spreagadh san Eoraip faoi na dea-chleachtais i gcúrsaí fostaíochta, tacú le jabanna sa chomharsanacht a chruthú agus le rochtain a fháil orthu, eagrais éagsúla amhail an Bord Eorpach Infheistíochta a chothú chun infheistíocht a dhéanamh i ngnóthais bheaga agus meánmhéide. Is iontu atá an poitéinseal is mó chun jabanna a chruthú san Eoraip ...

Níl an infheistíocht san Eoraip dírithe ar tháirgiúlacht na gcomhlachtaí a fheabhsú. Tá sí á mealladh ag an dílogánú chuig tíortha mar a bhfuil an tuarastal íseal nó ag an athstruchtúrú domhanda nach dtugann aird ach ar éigean ar an táirgiúlacht sna haonaid táirgeachta d'ollghrúpa.

Ar a shon sin, tá rudaí ag bogadh... Tá na forais ann chun machnamh nó díospóireacht níos forleithne a dhéanamh maidir leis an infheistíocht san Eoraip agus ar an gceangal idir í agus an gréasán Eorpach sóisialta... D'fhéadfadh an cruinniú mullaigh a mharana féin a bhunú ar na smaointe agus na moltaí ó na rialtais agus ó na comhpháirtithe.

(c) téacs eacnamaíoch
An tAcht Airgeadais, 1988, Alt 32.1 (1a), lch. 92

S is the amount of the corporation tax which, before any set-off, or credit for, tax, including foreign tax, and after any relief under section 58, 182 or 184 of the Corporation Tax Act, 1976, or section 41 of the Finance Act, 1980, is chargeable for the accounting period, exclusive of the corporation tax, before any credit for foreign tax, chargeable on the part of the company's profits attributable to chargeable gains for that period: and that part shall be taken to be the amount brought into the company's profits for that period for the purposes of corporation tax in respect of chargeable gains before any deduction for charges on income, expenses of management or other amounts which can be deducted from or set against or treated as reducing profits of more than one description.

Conradh Maastricht, Airteagal 109j.1

The reports shall also examine the achievement of a high degree of sustainable convergence by reference to the fulfilment by each Member State of the following criteria: - the achievement of a high degree of price stability; this will be apparent from a rate of inflation which is close to that of, at most, the three best performing Member States in terms of price stability;
the sustainability of the government financial position; this will be apparent from having achieved a government budgetary position without a deficit that is excessive;
the observance of the normal fluctuation margins provided for by the exchange-rate mechanism of the European Monetary System, for at least two years,without devaluing against the currency of any other Member State;

Arb é S méid na cánach corporáide, roimh aon fhritháireamh cánach nó creidmheas i leith cánach, lena n-áirítear cáin choigríche, agus i ndiaidh aon fhaoisimh faoi alt 58, 182 nó 184 den Acht Cánach Corparáide, 1976, nó alt 41 den Acht Airgeadais, 1980, is inmhuirearaithe don tréimhse chuntasaíochta, cé is moite den cháin chorparáide, roimh aon chreidmheas i leith cánach corparáide, roimh aon chreidmheas i leith cánach coigríche, is inmhuirearaithe ar an gcuid de bhrabúis na cuideachta is inchurtha síos do ghnóchain inmhuirearaithe don tréimhse sin: agus measfar gurb é atá sa chuid sin an méid a thugtar faoi réim bhrabúis na cuideachta don tréimhse sin chun críocha cánacha corparáide i leith gnóchan inmhuirearaithe sula ndéantar aon asbhaint maidir le muirir ar ioncam, caiteachais bhainisteoireachta nó méideanna eile is féidir a asbhaint ó bhrabúis de bhreis agus tuairisc amháin nó is féidir a fhritháireamh in aghaidh na mbrabús sin nó ar féidir déileáil leo mar mhéideanna a laghdaíonn na brabúis sin.

(Tá an leagan Fraincise ar leathanach 159.)

Scrúdóidh na tuarascálacha freisin gnóthú mórchóineasú inbhuanaithe faoi threoir chomhall na gcritéar seo a leanas ag gach Ballstát:

- gnóthú ardleibhéal cobhsaíocht phraghsanna; beidh sé sin follasach ó ráta boilscithe atá gar do ráta na dtrí Bhallstát, ar a mhéad, is feidhmiúla maidir le cobhsaíocht phraghsanna;
- inbhuaine an riochta airgeadais rialtais; beidh sé sin follasach óir beidh riocht buiséadach rialtais gnóthaithe aige gan easnamh is iomarcach ...
- urramú na ngnáthlamhálacha luaineachta dá bhforáiltear le Meicníocht Rátaí Malairte an Chórais Eorpaigh Airgeadaíochta, ar feadh dhá bhliain ar a laghad, gan díluacháil in aghaidh airgeadra aon Bhallstáit eile;

(d) téacs liteartha

Dracula, le Bram Stoker (Caibidil VII), arna aistriú ag Seán Ó Cuirrín

Then without warning the tempest broke. With a rapidity which, at the time, seemed incredible, and even afterwards is impossible to realize, the whole aspect of nature at once became convulsed. The waves rose in growing fury, each overtopping its fellow, till in a very few minutes the lately glassy sea was like a roaring and devouring monster. White-crested waves beat madly on the level sands and rushed up the shelving cliffs; others broke over the piers, and with their spume swept the lanthorns of the lighthouses... The wind roared like thunder, and blew with such force that it was with difficulty that even strong men kept their feet, or clung with grim clasp to the iron stanchions.

Moonstone (an Ré-Shead), le Wilkie Collins, arna aistriú ag Mícheál Ó Gríofa

Everything wears off in this world, and even the comforting effect of Robinson Crusoe wore off, after Penelope left me. I got fidgety again, and resolved on making a survey of the grounds before the rain came. Instead of taking the footman, whose nose was human, and therefore useless in an emergency, I took the bloodhound with me. His nose for a stranger was to be depended on. We went all round the premises, and out into the road - and returned as wise as we went, having discovered no such thing as a lurking human being anywhere. The arrival of the carriages was a signal for the arrival of the rain. It poured as if it meant to pour all night. With the exception of the doctor whose gig was waiting for him, the rest of the company went home snugly, under cover, in closed carriages.

(Tá leagan Fraincise ar leathanach 159.)

Ansin shéid an t-anfa gan rabhadh gan choinne. Ba ea a thobainne a tháinig sé agus an luas a bhí faoi gur tháinig riastradh ar chaoineas na farraige i nóiméad na huaire. Seo na tonnta ag éirí agus ag lingeadh de dhroim a chéile mar a bheadh faolchúnna allta ocracha ag tabhairt fogha faoi thréad; iad ag brúchtaíl le buile isteach thar chlár cothrom na trá agus ag dul den stáir sin go formna na haille; iad ag cáitheadh coip agus cúr anairde thar lóchrainn na dtithe solais atá amuigh ar dhá cheann an chalaidh. Níor threise toirneach ná torann na gaoithe agus ba ea a neart go raibh fir láidre á gcur i dteannta, ionas gurbh éigean dóibh greim docht a bhreith ar na branraí iarainn.

Ní bhíonn aon rud sa saol seo ach seal; fiú an sólás a cuireadh orm le Robinsoe Crusoe, d'imigh sé díom le himeacht Phenelope. Tháinig an-socracht orm arís; agus bheartaíos ar an áit máguaird a bhreathnú sula dtitfeadh an bháisteach. In ionad an giolla coise a ghairm chugam - níl aige ach srón daonna an dtuigeann tú, nach bhféadfaí iontaoibh a bheith agat aisti - ina ionad sin, a deirim, rugas liom an cú. D'fhéadfá é bheith d'iontaoibh agat as srón na con go mbolódh sé an coimhthíoch duit. Rinneamar cuairt na háite go léir agus amach ar an mbóthar - agus d'fhilleamar chomh dall díreach agus a chuamar amach, gan tásc ná tuairisc a fheiceáil ar fud na háite. B'ionann uair do theacht na gcóistí agus do theacht na báistí. Tháinig sí anuas ina clagar amhail agus dá mbeadh obair na hoíche go léir sínte roimpi. Bhí gach uile dhuine go clúmhar faoi chlúdach ag dul abhaile ach amháin an dochtúir; agus ní raibh aige ach carr gan mullach.

I told Mr Candy I was afraid he would get wet through. He told me, in return, that he wondered I had arrived at my time of life, without knowing that a doctor's skin was waterproof. So he drove away in the rain, laughing over his own little joke; and so we got rid of our dinner party.

(e) téacs eile

Treoraí Oifigiúil, Cumann Lúthchleas Gael, eagrán 1956, riail 136

Foul and rough play:

(a) Pushing, tripping, kicking, catching, holding or jumping at a player; obstructing a player by hand or arm, even though he be not actually held; reaching from behind a player who has caught the ball; shall be deemed fouls.

(b) No player shall be charged from behind and no player shall be charged or in any way interfered with unless he is moving to play the ball or in the act of playing it. (Should a player charge another who turns deliberately so as to make the charge that would otherwise be fair come from behind, that charge shall not be deemed foul);

(c) In the case of rough play the Referee shall caution the player or players and should the offence be repeated he shall order the offender or offenders off the field and report accordingly to the Committee or Council in charge of the fixture.

(d) In the case of dangerous play, violent conduct, irritating or improper language, or a player raising his hand to threaten or strike another player or to retaliate the Referree shall, without any caution, order the offender or offenders off the field of play and report accordingly to the Committee or Council in charge of the fixture.

Dúras le Mr Candy gur bhaol liom go bhfliuchfaí go craiceann é ag dul abhaile. An freagra a thug sé orm, gurbh ionadh leis fear de m'aois, gan a bheith de thuiscint agam go raibh craiceann dochtúra do-fhliuchraiste. Agus d'imigh sé leis faoin mbáisteach, agus é ag gáire le neart an tsuilt a fuair sé ina ghreann féin; agus sin mar a scaramar le cuideachta na proinne.

Imirt Chalaoiseach agus Garbhimirt:

(a) Áireofar ina chalaois aon tulcáil, cor coise, speachadh, breith, feidhm-choinneáil nó léim in aghaidh imreora; imreoir a bhac le lámh nó le géag cé ná feidhm-choinnítear é; nó síneadh de leith cúil imreora a bhíonn i seilbh na liathróide.

(b) Ní ceadaithe ruathar ó chúl a thabhairt faoi aon imreoir agus ní ceadaithe ruathar a thabhairt faoi aon imreoir ná cur isteach air in aon slí mura mbíonn sé ar tí an liathróid d'imirt nó le linn a himeartha dó. (Má thugann imreoir ruathar faoi imreoir eile a chasann d'aon toisc chun go dtiocfadh an ruathar, a bheadh cothrom mura mbeadh san, de leith a chúil, ní áireofar an ruathar sin ina chalaois.

(c) I gcás garbhimeartha, beidh ar an Réiteoir foláireamh a thabhairt don imreoir nó do na himreoirí agus má athchiontaítear amhlaidh beidh air an ciontóir nó na ciontóirí d'ordú ón réileán agus tuarascáil dá réir a chur chun an Choiste nó na Comhairle a bhíonn i gceannas an luaiteachais.

(d) I gcás imirt chontúirteach, foréigin, caint ghriogtha nó míchuí, nó i gcás imreoir a thógáil a láimhe chun bagirt ar imreoir eile nó chun é a bhualadh nó chun agartha, beidh ar an Réiteoir, gan aon fholáireamh, an ciontóir nó na ciontóirí a ordú den réileán agus tuarascáil dá réir a chur chun an Choiste nó na Comhairle a bhíonn i gceannas an luaiteachais.

Leaganacha Fraincise

Alt/Ráiteas le Jacques Poos, Aire Gnóthaí Eachtracha Lucsamburg, 1 Iúil 1997 (féach leathanaigh 150-151).

Les chefs d'État et de gouvernement réunis les 16 et 17 juin à Amsterdam ont donné à la présidence luxembourgeoise le mandat d'organiser un Conseil européen extraordinaire sur l'emploi. Ils ont ainsi voulu signaler qu'ils sont sensibles aux préoccupations des citoyens européens. Jamais, auparavant, une réunion d'un tel niveau ne s'était occupée directement et exclusivement du chômage, pourtant qualifié par tous de plus grand fléau de l'économie européenne...

Mais que peut faire l'Union sur la question de l'emploi?

Elle doit d'abord garantir un cadre macro-économique stable...

Il faudra ensuite moderniser les marchés du travail, stimuler au sein de l'UE l'échange d'informations sur les bonnes pratiques en matière d'emploi, soutenir la création et l'accès aux emplois de proximité, inciter différents organismes, comme la BEI, à investir dans le secteur des petites et moyennes entreprises, qui constitue le plus grand potentiel de création d'emplois en Europe...

L'investissement en Europe ne vise plus tant l'amélioration de la productivité des entreprises. Il se laisse tenter par les délocalistions vers les pays à bas salaire, voire par des restructurations globales qui ne font que peu de cas de la productivité atteinte dans les unités de production d'un grand groupe...

Les choses commencent cependant à bouger... Le terrain pour une réflexion, voire un dialogue plus global sur l'investissement en Europe et son lien avec le modèle social européen, existe donc... Les réflexions et suggestions des gouvernements et des partenaires sociaux pourraient devenir le sel du Sommet.

Conradh Maastricht, Airteagal 109j.1 (féach leathanaigh 152-153).

Les rapports examinent également si un degré élevé de convergence durable a été réalisé, en analysant dans quelle mesure chaque État membre a satisfait aux critères suivants:
- la réalisation d'un degré élevé de stabilité des prix; cela ressortira d'un taux d'inflation proche de celui des trois États membres, présentant les meilleurs résultats en matière de stabilité des prix;
- le caractère soutenable de la situation des finances publiques; cela ressortira d'une situation budgétaire qui n'accuse pas de déficit public excessif;
- le respect des marges normales de fluctuation prévues par le mécanism de change du système monétaire européen pendant deux ans au moins, sans dévaluation de la monnaie par rapport à celle d'un autre État membre;

Dracula, le Bram Stoker, caibidil VII, (féach leathanaigh 154-155).

Alors, sans aucun présage, la tempête éclata. Avec une rapidité qui paraissait, à ce moment, incroyable, et qui, même avec le recul, est impossible à comprendre, la nature entière parut se tordre. Les vagues naquirent, furieuses, comme jaillies du plus profond des mers, la suivante submergeant toujours la précédente - en quelques minutes, la mer d'huile s'était transformée en un monstre rugissant, affamé. Les vagues, couronnées de blanc, giflèrent avec furie les plages de sable et montèrent à l'assaut des falaises; d'autres se brisaient sur les quais et leur écume masquait parfois tout à fait le lueur des phares qui se dressent au bout de chacun des quais du port. Le vent hurlait comme le tonnerre, soufflait avec une force telle que les hommes les plus solides éprouvaient toutes les peines du monde à rester debout, et devaient s'agripper, de toute leur énergie, aux étais du port.

Caibidil 9
Foclóirí agus Foinsí eile Eolais

Leabharliosta deiridh

Foclóirí nach bhfuil luaite cheana

Foclóir Gaedhilge agus Béarla, Pádraig Ó Duinnín, BÁC, 1927.

Larger English-Irish Dictionary, O'Neill Lane, BÁC, 1918.

Foclóir Béarla agus Gaeilge/English-Irish Dictionary, Lambert Mac Cionnaith, BÁC, 1935.

Cnósach Focal ó Bhaile Bhúirne, Mícheál Ó Briain/Brian Ó Cuív, BÁC, 1947.

Liosta Focal as Ros Muc, T. S. Ó Máille, Preas Ollscoile Éireann, 1974

An Deascán Foclóireachta arna fhoilsiú ag Acadamh Ríoga na hÉireann, (ina bhfuil stórfhocail is 'leaganacha cainte nach bhfuil in FGB agus bríonna is struchtúir úsáide nach luaitear le focail atá in FGB')

1. *Innéacs Nua-Ghaeilge*, Tomás de Bhaldraithe, 1981. (Déanann sé an ceangal idir na ceannfhocail chaighdeánacha in FGB agus an leagan atá in DIL; an-úsáideach maidir le ceisteanna sanasaíochta.)
2. *Liosta Focal as Idir Shúgradh agus Dáiríre*, Séamus Ó Murchú, 1982.
3. *Díolaim Focal (A) ó Chorca Dhuibhne*, Éamonn Ó hÓgáin, 1984.
4. *Foirisiún Focal as Gaillimh*, Tomás de Bhaldraithe, 1985.
5. *Cnuasach Focal as Ros Goill*, Leaslaoi U. Lúcas, 1986.
6. *Cnuasach Focal ó Uíbh Ráthach*, Caoilfhionn Nic Pháidín, 1987.
7. *Díolaim Dhéiseach*, Diarmaid Ó hAirt, 1988.
8. *Cnuasach Focal as Teileann*, Úna M. Uí Bheirn, 1989.

Cnuasach Focal ón gCom, Daithí Ó Luineacháin, Coiscéim, 1995
Lexique Étymologique de l'Irlandais ancien, J. Vendryes, BÁC.
A. 1981
B. (par les soins de E. Bachellery/P-Y. Lambert), 1981
C. (par les soins de E. Bachellery/P-Y. Lambert), 1987
MNOP. athchló, 1983.
RS. (par les soins de E. Bachellery/P-Y. Lambert), 1974.
TU (par les soins de E. Bachellery/P-Y. Lambert), 1978.
Collins Gem Irish Dictionary, Séamus Mac Mathúna/Ailbhe Ó Corráin, Londain, 1994.

Feic freisin na foclóirí éagsúla atá liostaithe faoi Noda i dtosach an leabhair seo.

Aguisín de théarmaí nach bhfuil lucht na Gaeilge ar aon aigne fúthu.

Focail/abairtí nach bhfuil socair nó nár mhiste don aistritheoir bheith an-chúramach ina n-úsáid:

balance: *cothromaíocht; comhardú, cóimheá, cothroime.*

complexity: FB, (of organism) *aimpléiseacht* (in FGB); TP, visual c., *meascra radhairc*; TCP, c. division/multiplication: *roinnt, iolrú coimpléascach* (*coimpléascúil*, in FF).

conditions: *dálaí fostaíochta* agus *coinníollacha fostaíochta.*

conversion: fraudulent conversion: *comhshó calaoiseach* in TD; in TR tá *tiontú* ach *trealamh tiontúcháin* (conversion equipment); in EBh tá *athchóiriú* (conversion of room); in TP tá *athchóiriú* (of building) agus *sóinseáil airgeadra* (currency conversion); in FCT tá *oiriúnú* (of timber) nó *tiontú*; in FEol tá *coinbhéartú* (mth)/*tiontú* (ph) agus *leictreon tiontaithe*, 'conversion electron', agus *fachtóir coinbhéartacha*, 'conversion factor'; in TTR, tá *scagaire cúitimh*, 'conversion filter'; in FT tá *comhshó bia*, 'food conversion'; in FSG tá *comhshó/comhshóiteacht* 'currency, debt conversion' agus *claochlú amhábhair*, 'conversion of raw material' (*claochlú* = 'transmutation' in FEol, 'metamorphosis' in FT, 'transformation' in FC, TR, FB, agus tá *claonchló*, 'negative' in FGB, TTR); in FBith. tá *comhshó/athrú* agus *fachtóir comhshóch*, 'conversion factor'; ach tugtar *malartú, iompú, tiontú* in FS.

convertible: in FC, tá *cuntraphointe inchoinbhéartaithe* ar 'convertible counterpoint', ach in FSG, tá *insóinseáilte, inchomhshóite*, (os a choinne sin is *do-mhalairte* a thugtar ar 'inconvertible' cé go dtugtar *airgeadra do-chomhshóite* faoi 'inconvertible currency' agus in FF, *inchoinbhéartaithe*).

consideration: TP, planning, *cúrsaí le háireamh sa phleanáil*, strategy c., *tosca straitéise*; FSG, *comaoin*.

consistency: TCP, Mth, *comhsheasmhacht*; TR, *seiceáil chomhsheasmhachta* (consistency check); EBh, *raimhre, dlús*; FEol, *raimhre, téagar* (of substance) (consistence, Mth, *comhsheasmhacht*) ; FT, consistence (of horizon), *comhcháilíocht*; (FF, consistent, *comhsheasmhach*).

contamination: FEol, *éilliú, éilliúchán*; FT, *fabhtú, éilliú* (soil contamination: *fabhtú ithreach*; contaminated soil: *ithir fhabhtaithe*); TP, *éilliú* (of land: *éilliú talún*); EBh, FB, *fabhtú*; FS, *salú*.

convergence: FEol, Mth, *coinbhéirseacht*; FT, *coinbhéirseacht*; FR, *inréimneacht*; EID, *comhchlaontacht, comhchruinniú* (tugtar 'localization of industry' ar *comhchruinniú tionscal* in FGB agus tugtar 'concentration' air in FGB), *coinbhéirsiú*; in FGB tá *comhchlaonadh* agus is é *cóineasú* an focal a úsáidtear san Aontas Eorpach!

convergency: FEol. Mth, *coinbhéirseacht*; Ph. *inréimneacht*; FF, *inréimneacht*.

composition: FEol, FR, *comhshuíomh*; FT, *comhdhéanamh*; CH, *comhshuíomh*; TP, *comhshuíomh* (grassland composition: *comhshuíomh féarthailte*); FC, *cumadóireacht, comhdhéanamh séise*, composition of melody; FSG, sales c.: *comhdhéanamh díolachán*, fallacy of c, *fallás an chomhshuímh*, EBh, FB, *comhdhéanamh, comhshuíomh*; FCT, *comhshuíomh, comhdhéanamh, comhchumasc*; TTR, *comhdhéanamh*, musical c.: *saothar ceoil*; FS, *comhshuíomh bainne*; FF, *comhchur*.

decomposition: FEol, FT, TP, FB, *dianscaoileadh*.

decontamination: FEol, *dí-éilliú*, *dí-éilliúchán*; FS, *díshalú*.

defect: FS, *éalang(ach)*,FSG, GTT, *locht(ach)*; FR, *fabht*; FF, *éalang, locht;* FB, *éalang (ó bhroinn)*, congenital defect; agus in FCT, tá *fabht, locht, máchail*. In TD tá *locht* ach *éalang teidil*, defect of title, agus tugtar *duine meabhairéalangach* ar 'mental defective'.

deficiency: FEol, *díothacht* (FGB, want, destitution; FS, deprivation: *díothacht oideachasúil*, *mhothúcháin* (emotional d.), *d. fhisiceach*, physical d.); FT, *easpa*; TP, *easnamh* (rainfall deficiency: *easnamh báistí*) also = deficit; FSG, *easnamh* (deficiency/payment account: *cuntas/ íocaíocht easnaimh*) (also = deficit), agus in GTT,TR; EBh, *easnamh, díth* (vitamin deficiency, *díth vitimíní*); FB, *easpa, easpacht, díothacht* (demonstration of d. *taispeánadh easpachta/díothachta*; d. disease: *galar easpa*; ach in FT, *galar easpa*, agus *galar díothachta*); FS, *uireasa*, dietary d.: *uireasa cothaithe* (!!!), mental d.: *meabhairuireasa*, iodine d.: *uireasa iaidín*; FF, deficiency, *easnamh*.

deformation: FEol, Eng, *dífhoirmiú* (process), *dífhoirmíocht* (result), Mec Mth, *díchumadh* (deformation band: *banda díchumtha*!!!) (tugtar 'distortion' ar '*díchumadh'* in FR), TP, *míchumadh* (fós sa téacs) (> *dífhoirmiú*); FCT, *díchumadh* (elastic d. : *díchumadh leaisteach*); FS, *míchuma* (= deformation, deformity), congenital deformity: *míchuma chomhbheirthe*.

delinquency: TP, *ciontóireacht*.

dereliction: TP, FSG, *dearóiliú*.

disinfect: FT, FB, FS, *dífhabhtaigh* (also 'debugging' FSG,TR,TL); EBh, *dífhabhtaigh*, *díghalraigh*.

formation: FEol, Chem, *déanmhaíocht*; TP, *foirmíocht, foirmiú* (*foirmiú cladaigh* ach *foirmíocht charraige*!); FC, FSG, *foirmiú*; FB, FS, *foirmíocht, foirmiú*; TCP, *foirmíocht dromchla* (surface f.); FR, *foirmiú*.

foul = *calaois* (peil), níl sé in FGB ach tá sé in FP.

global: TP, *domhanda, gréasán* d. (global pattern); FEol. *cuimsitheach*, uile-; TR, *cuimsitheach*.

information: *faisnéis/eolas*.

institute: *institiúid/foras airgeadais*.

interdependence: *comhspleáchas* (TP), *idirspleáchas/ idirthuilleamaíocht* (FSG), níl ceachtar acu in FGB

integral response: FCT, *freagairt shuimeálach*.

integrate: TR, integrated, *iomlánaithe, comhtháite*; FR, *solas comhtháite*.

integrated database management system (TR): *córas bainistíochta bunachar sonraí comhtháite*.

integrated management information system (TR): *córas comhtháite eolais bhainistíochta*.

integration: FEol, Mth, *suimeáil*; (integrated, *iomlánaithe*); TP, *comhréimniú* (ciníocha), horizontal/vertical i., *comhréimniú cothrománach/ceartingearach, iomlánú draenála, lánpháirtiú polaitiúil, lánaontú* (of schools, factories); FSG, *imeascadh*, backward i., *cúlchumasc*, economic i. *lánpháirtíocht gheilleagrach*, forward i., *réamh-lánpháirtiú*, horizontal/vertical i., *imeascadh cothrománach/ingearach: ceartingearach*, monetary i., *imeascadh airgeadaíochta*; FF, *iomlánú*, integrity: TR, *sláine*.

justify: *comhfhadaigh* (TR), *fírinnigh* (FGB).

performance management system (CT,8.4.97): *córas bainistíochta ar fheidhmiú*.

performance related pay (CT,8.4.97): *pá i gcoibhneas le feidhmiú*.

potential: feic EID, FSG (*poitéinseal margaidh* = market potential; potential demand = *éileamh féideartha*); FCT, Elec. *poitéinseal* (p. difference: *difríocht poitéinsil*); TTR, p. audience: *lucht éisteachta/féachana dóchúil*; FF, *tualangach*.

Read-only: compact disc read-only memory (TL): *dlúthdhiosca cuimhne léimh amháin*.

refractory: *teasfhulangach* (FEol, CH-PH); *easumhal, ceanndána* (EID); *casachtach - doleigheasta, ainsealach* (EID); FR, refraction, *athraonadh*.

rehabilitation (**of land**), *athinmheachán* (CT,10.1.94), (telecom) *athinmhiú* (CT,88); *athshlánú* (TP); *athshlánú, athinmheachán* (FS).

rejuvenation: *feabhsú* (FT).

repercussion: *frithbhualadh* (pléascán); *frithiarmhairt* (FSG).

replacement: FEol, Geol, *athsholáthar*, CH, *cur in ionad*; TP, r. cost, *costas athsholáthair* (FSG), r. deposit, *sil-leagan ionaid*, r. ores, *mianta ionaid*; FSG, replacement investment/price, *infheistíocht/praghas athsholáthair*; TTR, (audio) dialogue replacement: *aisghuthú*; TL r. copy: *athchóip*.

resistance: *friotaíocht*; fire resistance: *dó-obacht*; resistance fighter: *trodaire frithbheartaíochta*.

responsive: EID - they are responsive to affection: *ceannsaíonn an chineáltacht iad*; ach labour markets responsive to economic change: ? *inoiriúnaithe, inchurtha in oiriúint* (EID).

restoration: (of land) *athchóiriú* (CT,10.1.94), *athshlánaigh* (FSG); *athchóiriú, athdheisiú* (FCT); *athchóiriú* (TP, FT); níl aon téarma in TL a bhainfeadh le leabhair.

tactics: tugtar *beartaíocht* in EID agus in *Liosta de Théarmaí Staire* (gan dáta) ach tá *oirbheartaíocht* in FSG; déanann FGB an t-idirdhealú: *beartaíocht* = scheming, ingenuity, ach is ionann *oirbheartaíocht* agus 'tactics' (mil.); ach níl aon aidiacht ann: *pleanáil oirbheartaíochta* (tactical planning) atá in FSG, agus *taiscéalaíocht oirbheartaíochta* (tactical reconnaisance) in FGB; tugann EID *beartach* air ach ní thugann FGB 'tactical' mar mhíniú le *oirbheartach* ach practised, dexterous etc, nó b'fhéidir gurb ionann an chiall atá le 'skilful' nó 'ingenious' agus le 'tactical' de ghnáth. (Léiríonn an iontráil seo in FGB ceann de mhórdheacrachtaí na Gaeilge: tugtar 'infiltration tactics' ar *oirbheartaíocht insíothlaithe*, nuair nach gá gur ceann gníomhach atá ann ach a mhalairt.)